10855035

À BORD DE L'*OURAGAN*
LA RELIGION DES AUTRES

TOME 2

CAMILLE BOUCHARD est né à Forestville en 1955. Il a longtemps vécu sur la Côte-Nord et habite désormais à Québec.

Auteur de plus d'une soixantaine de romans, il est récipiendaire de nombreux prix littéraires dont le prestigieux Prix du Gouverneur général du Canada pour lequel il a été lauréat en 2005 et finaliste en 2008 puis en 2011 (*Un massacre magnifique*, Hurtubise).

Certaines de ses œuvres apparaissent également sur des listes de sélection internationale, telle l'éminente White Raven's International List of Honour.

Grand amateur de voyages d'aventures, Camille Bouchard a visité plusieurs pays à travers le monde.

Passionné par la découverte de l'Amérique et par les conflits qui opposèrent conquérants et autochtones au cours du XVIe siècle, il se consacre depuis 2007 à de nombreux romans traitant de cette période.

Vivant désormais de sa plume, Camille Bouchard alterne avec un égal plaisir entre les textes grand public, les romans pour adolescents et les contes pour enfants.

CAMILLE BOUCHARD

À BORD DE L'*OURAGAN*
LA RELIGION DES AUTRES

TOME 2

Hurtubise

Catalogage avant publication de Bibliothèque et Archives nationales du Québec et Bibliothèque et Archives Canada

Bouchard, Camille, 1955-

À bord de l'Ouragan

Sommaire : t. 1. Le trésor perdu – t. 2. La religion des autres.
Pour les jeunes de 15 ans et plus.

ISBN 978-2-89647-612-1 (v. 1)
ISBN 978-2-89647-909-2 (v. 2)

I. Titre. II. Titre : Le trésor perdu. III. Titre : La religion des autres.

PS8553.O756A72 2011   jC843'.54   C2011-941375-2
PS9553.O756A72 2011

Les Éditions Hurtubise bénéficient du soutien financier des institutions suivantes pour leurs activités d'édition :

- Conseil des Arts du Canada ;
- Gouvernement du Canada par l'entremise du Fonds du livre du Canada (FLC) ;
- Société de développement des entreprises culturelles du Québec (SODEC) ;
- Gouvernement du Québec par l'entremise du programme de crédit d'impôt pour l'édition de livres.

Maquette de la couverture : René St-Amand
Illustration de la couverture : Éric Robillard (Kinos)
Maquette intérieure et mise en pages : Martel en-tête

Copyright © 2012, Éditions Hurtubise

ISBN 978-2-89647-909-2 (version imprimée)
ISBN 978-2-89647-910-8 (version numérique PDF)

Dépôt légal : 1er trimestre 2012
Bibliothèque et Archives nationales du Québec
Bibliothèque et Archives Canada

Diffusion-distribution au Canada :
Distribution HMH
1815, avenue De Lorimier
Montréal (Québec) H2K 3W6
www.distributionhmh.com

Diffusion-distribution en Europe :
Librairie du Québec/DNM
30, rue Gay-Lussac
75005 Paris FRANCE
www.librairieduquebec.fr

Imprimé au Canada
www.editionshurtubise.com

À Carolle Langlois,
une grande lectrice.

« La tempête a béni mes éveils maritimes.
Plus léger qu'un bouchon j'ai dansé sur les flots. »

ARTHUR RIMBAUD

« Je préférerais ne pas régner
plutôt que régner sur des hérétiques. »

PHILIPPE II
Roi d'Espagne

Galion Ouragan
XVIᵉ siècle

LES MÂTS
1. Mât d'artimon
2. Grand mât arrière
3. Grand mât avant
4. Mât de misaine
5. Beaupré

LES VOILES
6. Civadière
7. Misaine (ici, carguée)
8. Petit hunier
9. Petit perroquet
10. Grand-voile
11. Grand hunier
12. Grand perroquet
13. Latine d'artimon

LES ŒUVRES ET GRÉEMENTS
14. Étai
15. Bout-dehors
16. Balcon
17. Dunette
18. Château de poupe ou gaillard d'arrière,
19. Cordages pour monter dans les mâts : haubans (verticaux), enfléchures (horizontaux)
20. Hune (nid-de-pie)
21. Étrave
22. Vergue (ici, grande vergue)
23. Gouvernail
24. Quille
25. Coque (partie immergée se dit carène ou œuvres-vives ; partie émergée se dit œuvres-mortes)
26. Échelle de coupée

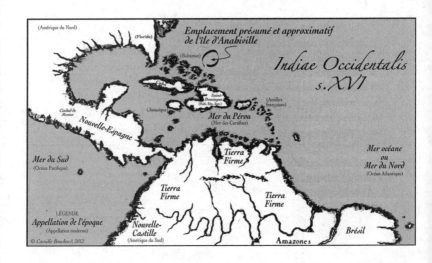

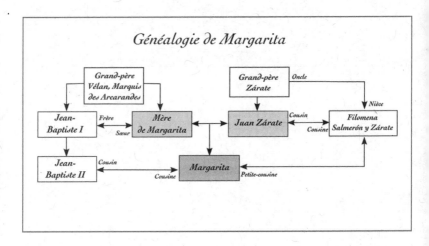

Anahiville
Mer des Caraïbes

An de grâce
M.D&LXXI

Liste des personnages principaux

Anahi : grand amour de Mange-Cœur, tuée dix ans plus tôt. Mère de Gédéon Sanbourg, dit Perroquet.

Bares, Baudilio : sergent de compagnie du *capitán* Valdez sur la *Santa Concepción*. Prisonnier des pirates.

Bec-de-Flûte : de son vrai nom Nazareno. Affublé d'un bec-de-lièvre, un peu benêt, joueur de flûte.

Berthon : ancien second de Nez-en-Moins sur le navire anglais *For God's Sake*. Gouverneur de la forteresse d'Anahiville.

Bouche-Trou : guerrier kalinago, maître calfat sur l'*Ouragan*.

Calot, Louis-Marie : ancien marin sur le *For God's Sake*.

Cape-Rouge : pirate décédé depuis seize ans. Ancien capitaine de l'*Ouragan*.

Carabois : ancien maître canonnier du *For God's Sake*. Lieutenant-gouverneur et maître canonnier de la forteresse d'Anahiville.

Deux-Poignards : pirate africain.

Fidel : esclave africain, serviteur de Margarita Zárate.

Filomena Salmerón y Zárate : marraine et tutrice de Margarita Zárate.

Gédéon Sanbourg : fils d'Anahi, une Kalinago (ou Caraïbe), et d'un ancien prisonnier espagnol qui fut mangé par les cannibales. Fils adoptif de Lionel Sanbourg, dit Mange-Cœur.

Grenouille : pirate sur l'*Ouragan*. Son surnom lui vient de ses doigts palmés.

Isidro : Espagnol prisonnier des pirates.

Jésuite : homme de confiance de Mange-Cœur. Lieutenant du galion *Ouragan*, second gouverneur de la forteresse d'Anahiville et guide spirituel de la communauté.

Lionel Sanbourg : voir *Mange-Cœur*.

López, Esteban : *capitán* sur le galion *Palomero*.

Luz, Lazaro : *teniente* sur le galion *Palomero*.

Mange-Cœur : capitaine de l'*Ouragan*. Grand maître de la communauté pirate d'Anahiville. De son vrai nom, Lionel Sanbourg. Pirate formé par le légendaire Cape-Rouge. Père adoptif de Gédéon.

Maoualie : pirate kalinago.

Margarita Zárate : fille infirme de Juan Zárate, riche bourgeois de Mexico, cousine du marquis des Arcarandes par la branche maternelle. Petite-cousine et pupille de Filomena Salmerón y Zárate.

Mazariegos, Diego de : gouverneur de Cuba.

Mobango : Africain, lieutenant et maître canonnier de l'*Ouragan*.

N'Délé : pirate africain.

Narvaez, Arcángel de : capitaine du navire *Santa Concepción*. Prisonnier des pirates.

Nazareno : voir *Bec-de-Flûte*.

Nez-en-Moins : ancien noble français, pilote et second maître de manœuvres du galion *Ouragan*, adjoint au maire d'Anahiville.

Ocananmanrou : pirate kalinago.

Perroquet : voir *Gédéon Sanbourg*.

Rogelio : Espagnol prisonnier des pirates.

San Miguel, Honorato Acón de : amiral du galion *Palomero*.

Santiago : second de Mange-Cœur, bosco et maître de manœuvres du galion *Ouragan*, maire d'Anahiville.

Torrés, Genaro : amiral de flotte, commandant du galion *El Ambicioso*.

Tukubuli : pirate kalinago.

Urael : guerrier Wayana, pirate sur l'*Ouragan*. Premier *ouboutou* (sorte d'officier chez les guerriers kalinagos) et grand *bóyé* (sorcier kalinago) de la communauté amériquaine.

Valdez y Melitón, Pánfilo : officier espagnol, neveu de Luis Melitón de Navascués, l'ancien rival de Cape-Rouge. Prisonnier des pirates.

Valdoie, Berthier de : voir *Nez-en-Moins*.

Vélan, Jean-Baptiste II, marquis des Arcarandes : cousin de Margarita Zárate.

PROLOGUE

Fin du procès du capitaine Lionel Sanbourg autrement nommé le capitaine Mange-Cœur

Quelque part en Bretagne, printemps 1603

Terme des plaidoiries des avocats des accusés et du plaidoyer de Gédéon Sanbourg, témoin agréé d'un privilège royal détaillé au registre et seul appelé ne comptant point parmi les accusés.

Au nom de Sa Majesté Très Chrétienne, Henri le Quatrième, Roi de France et de Navarre et Coprince d'Andorre, et devant Dieu qui connaît toute chose.

Les accusés dont les noms et descriptions apparaissent sur les registres intitulés « Condamnation à la pendaison pour crimes de piraterie, meurtres et pillages », « Condamnation au bûcher pour crimes de sorcellerie, profanations, blasphèmes et sacrilèges » et « Condamnation aux galères pour crimes de vols et de parjure» subiront leur châtiment à l'aube du vingt-sixième d'avril de l'an de grâce mil six cent trois.

Un délai extraordinaire a été demandé par le président de la Cour afin de revoir des détails des plaidoiries du ci-nommé Lionel Sanbourg, dit capitaine Mange-Cœur. Une lecture comparée des écrits intimes dudit Mange-Cœur aux journaux de bord de son fils, Gédéon Sanbourg, s'est avérée nécessaire afin de confirmer certains éléments de la preuve.

Sitôt les recoupements parachevés, le maître de la communauté pirate verra son nom ajouté à l'une ou l'autre des listes des condamnations précitées ou sera gracié.

Que Dieu bénisse cette Cour.

Entente liant Sa Majesté Très Chrétienne, Henri le Quatrième, par la grâce de Dieu, Roi de France et de Navarre, à Jean-Baptiste le Deuxième de Vélan, Marquis des Arcarandes, et à Gédéon Sanbourg d'Anahiville.

À tous ceux qui auront prérogative de lire cette présente lettre, salut.

Sous réserve de la conformité et du respect liant les signataires à la volonté royale, il est du bon plaisir de

Sa Majesté, et en vertu de Ses Pouvoirs, de consentir à accorder au sieur Gédéon Sanbourg l'immunité entière, éternelle et immuable dans le cadre du procès dont il est partie prenante, et à promettre que son témoignage servira exclusivement à défendre les accusés.

Il a été convenu et accordé que les paiements des cinq millions par le sieur Gédéon Sanbourg se feraient en monnaie d'argent ayant cours en France lors de la présente entente à raison de soixante sols par écu.

Ces montants tirés des coffres personnels du sieur Sanbourg et issus des trésors d'Anahiville, la communauté pirate, seront remis aux économes de Sa Majesté Très Chrétienne.

Le sieur Sanbourg pourra continuer à jouir des profits de sa fortune personnelle incluant les intérêts des biens issus du trésor de la communauté pirate. Tous les autres montants saisis à ladite communauté seront versés aux caisses royales puisqu'ils concernent des biens appartenant aux accusés déjà condamnés.

De la présente entente, ayant en chacun des points et articles agréés, apposons les seings et cachets de nos Armes, promettant en foi et parole de l'accomplir, faire garder et entretenir inviolablement sans y contrevenir.

Signé par Henri de Navarre, Roi de France, Jean-Baptiste le Deuxième de Vélan, Marquis des Arcarandes, et Gédéon Sanbourg d'Anahiville, et contresigné par les notaires et huissiers aux greffes.

— Oh! Bonsoir, monsieur le marquis. Quelle bonne surprise!

— Bonsoir, monsieur Sanbourg. Alliez-vous vous mettre au lit?

— Oh, certes non, monsieur le marquis. J'attends les résultats des délibérations. Un serviteur doit m'aviser de la décision des juges sitôt qu'elle sera prononcée, même au milieu de la nuit.

— En ce cas, il me plairait de patienter en votre compagnie.

— Navré de devoir vous accueillir dans ce modeste réduit, loué pour l'occasion dans cette aile inoccupée du palais de justice.

— N'importe, monsieur Sanbourg, on n'en soupçonnera que moins mon audace à vous venir rencontrer.

— Je n'ai pas seulement de chaise à vous offrir. Voyez, je dors ici sur ce tapis de paille.

— Mais cela vaut mieux qu'une cellule de prison, n'est-ce pas?

— Oh, sans doute, monsieur, et je tiens à vous remercier une fois de plus de vos bonnes grâces. Sans le privilège royal que m'a mérité votre intervention auprès de Sa Majesté, il va sans dire que je croupirais au milieu de mes camarades et attendrais la corde qui m'enverrait *ad patres* devant la foule vociférant.

— Parlant de foule, monsieur Sanbourg, vous savez qu'en dépit de l'heure tardive, on s'entasse par centaines autour du gibet ? Il semble fort que la roture y passera la nuit pour s'assurer de ne rien manquer, au matin, de l'exécution des pirates.

— Je l'ignorais, mais je n'en suis point surpris, monsieur le marquis. Les gens aiment bien le spectacle de condamnés qu'on châtie, surtout de ceux dont les crimes ont été décrits pendant des jours aux oreilles du public. Mais peut-être aussi, comme nous, n'espèrent-ils que le verdict des juges à propos du plus célèbre des accusés.

— Si tous les pirates, sans exception, ont été reconnus coupables, je vois mal leur maître, le plus détestable de tous, le plus cruel, le plus sacrilège, l'effroyable Mange-Cœur, échapper à la potence !

— Sauf s'il bénéficie de protections semblables à celles dont je profite, monsieur le marquis.

— Est-ce possible, monsieur Sanbourg ? Le capitaine Mange-Cœur jouirait-il d'entrées auprès de Sa Majesté ou de quelque puissant de la Cour ?

— Oh, si cela était, ce serait le secret le mieux gardé, croyez-moi. Mais hélas, je crains fort que mon père n'ait à affronter le pire des verdicts puis le châtiment qui s'ensuit, soit celui d'être écorché vif, puis pendu à l'entrée de la ville, à la merci des oiseaux. Et cela est d'une tristesse…

— Ne nous éternisons point en vain atermoiement, monsieur Sanbourg. Je pense que tous ces blasphémateurs méritent le sort qui les attend. Toutefois, s'il m'a été possible d'user de mon influence pour vous éviter à vous, le mari d'une cousine, de vous balancer au bout d'une corde au milieu de cette racaille, tous deux y trouvons notre profit : vous, la vie, moi, l'honneur de ne point compter de condamné dans mon lignage.

— Je suis, jusqu'à la mort, l'obligé de monsieur le marquis.

— Brisons là, monsieur Sanbourg. Par pudeur et par délicatesse, vous taisez la fortune dont vous avez abondamment garni les coffres de la famille en épousant ladite cousine, voilà des années. Vous avez soustrait ma maison à l'infamie et au dénuement, car à l'époque, ressouvenez-vous-en, les impayés de mon père… Enfin, bref, c'est moi qui suis heureux d'avoir pu régler avec vous cette dette d'honneur en intervenant auprès de Sa Majesté.

— Votre gratitude n'a d'égale que l'amitié que je porte à Votre Seigneurie et l'amour que j'entretiens pour votre cousine, mon épouse.

— Et puis, n'oublions pas que le roi lui-même profite sans vergogne de vos largesses, n'est-ce pas ? Ceci dit, comment s'est déroulé le procès ?

— Vous y avez assisté du haut des tribunes, monsieur, et il me semble que vous voilà mieux placé que moi pour vous en faire une idée.

— Certes. Mais je voulais connaître votre opinion personnelle.

— Je n'ai guère d'avis digne de surpasser le vôtre, monsieur. Mon père a refusé de plaider et mon témoignage seul a tenté d'illustrer les ambitions désintéressées de sa colonie. Et quoique, dans nos efforts à défendre ou à enrichir la communauté d'Anahiville, nous n'ayons jamais touché au moindre vaisseau français, cette affaire fait trop de bruit pour que la France se permette d'absoudre Mange-Cœur. L'Espagne déclarerait la guerre, *ipso facto* ! La politique seule guide le procès. Enfin, tant que les juges délibèrent sur le cas précis de mon père, voilà qui est de meilleur augure que si on l'avait incontinent condamné.

— Sans doute, sans doute. Toutefois, puisqu'il est d'avance entendu que la totalité des drôles à sa solde – du moins, les hommes – seront écorchés vifs, pendus et brûlés, n'est-ce point faire preuve de naïveté que de penser que Mange-Cœur s'en tirera ?

— Je parle avec mon cœur, monsieur le marquis, point avec ma raison.

— Vous l'aimez bien, n'est-ce pas ?

— C'est mon père, monsieur.

— Vous êtes à moitié de sang espagnol, monsieur Sanbourg… de par le *teniente* Rato, n'est-ce pas ? À moitié de sang espagnol, donc, au même titre que ma cousine. Au fait, où se trouve ce cher ange ? Vous espère-t-elle chez quelque ami de Bretagne ?

— En la maison familiale du Béarn, monsieur le marquis.

— Bien… Fort bien ! Il vaut mieux lui éviter tout ce… cirque, n'est-ce pas ? Entretenez-moi, maintenant, monsieur Sanbourg !

— Plaît-il ?

— Dans l'attente, contez-moi quelque anecdote de votre vie parmi les pirates.

— Ça risque de n'être guère divertissant.

— Mais si, mais si ! Par exemple, votre épouse : en quelles circonstances s'est-elle retrouvée captive des forbans ? Car vous y étiez, pas vrai ?

— J'y étais, monsieur, en effet.

— Racontez-moi de quelle manière vous en fîtes la rencontre ou lisez-moi des passages que vous n'avez point relatés au procès. Vous avez bien avec vous de ces documents de votre main qui n'ont point été retenus au réquisitoire, non ? Bref, passons ce temps d'attente de manière distrayante.

— Puisque cela vous intéresse… J'ai ici plusieurs documents… Mais plusieurs datent d'il y a longtemps, vous savez. Trente-deux ans. Et comme je l'ai mentionné devant les magistrats, nombreuses sont les évocations qui m'ont été confiées par mes compagnons d'alors : Santiago, le Jésuite, Deux-Poignards, Bec-de-Flûte… ou qui ont été écrites par mon père lui-même. Je n'étais pas témoin de tout.

— Qu'importe. Racontez.

1

Quelque part dans la mer des Caraïbes,
en l'an de grâce 1571

La dentelle qui décore la robe me chatouille le visage. Je la repousse d'un mouvement agacé de la main, mais le vent, obstiné, la ramène sans cesse sur mon nez.

Le pirate qui a enfilé le vêtement féminin est un Amériquain de la nation kalinago – ou caraïbe –, un cannibale. Il a noué ses longs cheveux noirs en un chignon négligé et laisse flotter des mèches derrière lui à la manière d'une jeune fille insouciante. Pour parfaire l'illusion d'une passagère anodine, il tient un livre en feignant d'être si concentré dans sa lecture qu'il – ou elle – ne remarque pas le navire approchant. Un œil attentif, toutefois, noterait que le volume est orienté à l'envers.

Moi, je le distingue très bien, car je suis assis aux pieds de la fausse demoiselle. Nous sommes sur le pont de l'*Ouragan*, le long du bastingage.

— Par Mápoya! que je murmure en caribe, la langue kalinago. Retiens tes jupes, sinon je découpe le foutu tissu avec mon poignard.

— Calme, Gédéon, réplique Maoualie, le cannibale, ou je te balance à la mer à coups de pied au cul.

Sur toute la longueur du tillac, imitant un équipage inoffensif, quelques pirates vaquent à des occupations de routine : Santiago brique le pont avec une serpillière faite de cordages ; Grenouille ravaude un coin de voile ; le Jésuite, bure agitée par la brise, mains croisées dans le dos, semble méditer ses prières en posant un œil distrait sur le bâtiment qu'on rattrape ; Carabois trie des clous usés ; Bec-de-Flûte, assis près d'un râtelier, embout de flageolet aux lèvres, joue une petite musique allègre...

À quelques toises, *El Ambicioso*, un lourd galion espagnol de vingt-huit canons, se laisse hausser vague après vague. S'il était possible aux matelots de son personnel d'être un peu plus observateurs ou de considérer l'*Ouragan* d'un angle plus élevé – du haut de la pomme du grand mât de hune, par exemple –, ceux-ci seraient en mesure d'apercevoir les dizaines de forbans camouflés le long du pavois ou sous le gaillard de proue, poignard entre les dents, pistolet ou sabre au poing, attendant seulement que le bordé ennemi soit assez près pour lancer les grappins.

Les douze sabords fermés de l'entrepont démontrent que notre leurre fonctionne et que les Espagnols ne se doutent de rien. Il est vrai que l'*Ouragan*, un lourd galion bâti dans un chantier de Cadix ou de Séville, peut facilement inspirer confiance à un navire du roi Philippe II, surtout si, à la hampe du château de poupe, claque un pavillon aux couleurs de Castille.

Étant donné ma petite taille, je mime un serviteur aux pieds de sa maîtresse. J'ai affirmé à Santiago qu'à seize ans, je voulais cesser de jouer des rôles d'enfant et me mêler aux guerriers dissimulés ici et là, mais il a rejeté ma demande.

— Tous ceux qui ont un gabarit n'inspirant point la défiance chez l'ennemi se travestiront, a commandé notre quartier-maître. Les autres, les sales têtes, les grosses mains et les dos larges, se cacheront.

J'enrage.

En outre, ma fonction de maître artificier d'exception m'est dérobée. Selon le bosco, nous passerons si près de notre proie que mes capacités en matière de balistique seront inutiles. J'ai plaidé ma cause devant le Jésuite, qui a approuvé Santiago. Pareil pour Nez-en-Moins.

Je n'étais pas pour aller me plaindre au capitaine en personne, le terrible Mange-Cœur. Surtout que, sauf cas extrême, jamais celui-ci ne revient sur une décision prise par son second. Pas même pour moi.

Surtout pas pour moi.

Son fils.

— Feu !

En réponse à la voix de Mobango, les artilleurs des quatre canons de calibre huit du tillac de même que ceux des cinq pierriers répartis sur les gaillards bondissent hors de leur cachette. Dans la lumière des culasses – le minuscule orifice qui donne accès à la poudre –, ils introduisent l'embout allumé des mèches qu'ils dissimulaient sous eux. Les fûts sont bourrés, non pas de boulets, mais de mitraille. Le but d'une telle salve est moins de détruire le bâtiment ennemi que de balayer le pont de ses combattants. Les neuf bouches à feu vomissent fer et verre pilé avant que les Espagnols, yeux ronds, n'aient le réflexe de hurler l'alarme.

Au tonnerre de la canonnade succède une dense fumée en volutes que le vent tarde à chasser. Je quitte ma position au moment où Maoualie, toujours revêtu de sa robe, tire un lourd casse-tête de sous ses jupes. Si je suis surpris de constater qu'il ne semble pas avoir l'intention de retirer son déguisement avant d'aller fracasser des crânes, je n'ai pas le temps de me moquer. La voix de Santiago éclate derrière nous.

— Les mains! Hé, hé!

C'est le nom donné aux grappins. Une dizaine de crampons à quatre ou cinq pointes volent du bastingage de l'*Ouragan* à celui d'*El Ambicioso*. Même si on ne voit rien dans les nuées, on entend distinctement les crochets de métal tomber sur le pont, gratter le bois, puis s'accrocher aux balustres, lisses et râteliers. On tire sur les câbles tant pour rapprocher les deux bordés que pour les garantir en position. J'aide le compagnon le plus près de moi à attacher son cordage à nos propres structures.

— Grenades ! Hé, hé !

Le nouvel ordre de Santiago est immédiatement suivi d'une volée d'explosifs que les artificiers, à l'aide de grands moulinets des bras, projettent sur l'autre navire. Pendant une seconde, j'oublie la manœuvre qui vient toujours après un lancer de bombettes : se jeter au sol ! C'est en recevant presque la tête de N'Délé dans les jambes que je pense à me réfugier derrière un cabestan.

Une pétarade s'ensuit l'instant d'après – les grenades, de conception très imparfaite, sautent chacune selon un temps variable. Encore une fois, des cris nous parviennent du côté espagnol. La fumée des explosifs et de la canonnade enfin repoussée, nous pouvons apprécier le carnage sur le pont ennemi. Déchiquetés par la mitraille ou écharpés par les engins détonants, soldats comme matelots gisent pêle-mêle dans un marigot de sang et de chairs éclatées. Ceux qui sont encore valides, pris de surprise, peinent à charger leurs arquebuses ou à tirer l'épée.

Un officier sur la dunette, demeuré étourdi par la soudaineté de l'assaut, se retient à une drisse de l'artimon, une main sur le crâne. Son joli chapeau à plumes vole loin derrière lui, emporté par la brise. Il nous fixe deux ou trois secondes de ses yeux arrondis, semblant toujours se demander comment un galion qui paraissait pourtant tout ce qu'il y a de plus inoffensif voilà peu a pu brusquement se transformer en un furieux prédateur.

En dépit du vent, des vagues, du craquement des manœuvres et des plaintes des blessés, je l'entends nettement jurer dans sa langue lorsqu'il aperçoit Bec-de-Flûte, à la poupe de l'*Ouragan*, troquer les couleurs de Castille pour le pavillon rouge à tête de mort.

L'officier s'empresse alors de rugir des ordres en direction du tillac, mais à part deux sergents de compagnie, bien peu de ses hommes donnent l'impression de les interpréter convenablement. La confusion reste complète sur *El Ambicioso*.

— À l'abordage !

À l'appel, non pas de notre bosco, cette fois, mais de notre capitaine, un cri commun jaillit de toutes les poitrines :

— Pour Anahiville ! Pour Mange-Cœur !

Je ne suis pas en reste. Malgré ma voix toujours un peu claire – quoiqu'elle ait mué depuis déjà deux ans –, je hurle à cet ennemi que nous avons pris pour cible mon allégeance à la communauté d'Anahiville et à son chef, Mange-Cœur, le terrifiant pirate aux mœurs cannibales.

Je me reçois un peu gauchement sur le pont du navire. J'ai bien calculé la distance et évalué adéquatement mon élan, mais mes muscles ne répondent pas souvent de façon ordonnée aux mouvements que je m'efforce de leur imprimer. Le cordage auquel je me retiens me permet d'effectuer la rotation prévue, mais mes jambes réagissent une fraction de seconde trop tard.

Mon genou heurte le bois et je chancelle un brin en me redressant.

— Ça va, Perroquet? demande Bouche-Trou en caribe, tandis qu'il passe à ma hauteur, son arc bandé devant lui.

— Appelle-moi Gédéon! maugréé-je en ôtant mon poignard d'entre mes dents.

Le calfat, en décochant une flèche vers un soldat espagnol, riposte:

— Enlève-toi du chemin, tu nuis à ceux qui arrivent... Perroquet.

Puis, il se désintéresse de moi – et de son arc qu'il laisse tomber par terre – pour foncer vers un autre militaire en détachant le casse-tête qu'il traîne en bandoulière.

Qu'est-ce qu'il m'énerve, celui-là, à refuser de comprendre que je tiens à ce qu'on s'adresse à moi par mon vrai nom! Le jour où j'aurai assez de muscles, je lui rappellerai la politesse.

— Ho, Gédéon! Tu rêves?

C'est Nez-en-Moins qui passe près de moi après avoir déchargé son escopette en direction de l'ennemi. Épée au poing, sans s'arrêter, il dit:

— Retourne sur l'*Ouragan*! Tu vas te faire hacher menu au milieu de la mêlée.

Mais je ne suis plus un enfant, quoi!

— Hé, hé! Gédéon! lance Santiago avec ce ricanement nerveux qui est un tic chez lui. Ta place n'est pas ici. Tu es trop précieux comme canonnier pour qu'on risque de te perdre dans un corps-à-corps.

— Enfin, bosco, je veux participer aux combats! Mobango et Carabois sont maîtres canonniers et ils se battent bien, eux.

Il chuchote:

— Ils n'ont pas ton talent en balistique… Hé, hé!

— Pas question.

— Et puis, hé, hé! ils sont costauds… eux.

— Va au diable, bosco!

— Hé, hé!

Dès lors, le second de l'*Ouragan* me délaisse pour plonger dans la mêlée. Il faut dire que, si les Espagnols ont mis du temps à comprendre ce qui leur arrive, maintenant, ils se défendent farouchement.

Une troupe entière a surgi des écoutilles pendant que je débattais avec Santiago. Armés d'épées, certains de piques, d'autres d'arbalètes, les piétons couverts de cuirasse ou de broigne épaisse se répandent sur le tillac. Enhardis par les deux sergents dont j'ai déjà fait mention – eux-mêmes stimulés par les vociférations de leur officier toujours sur la dunette –, ils s'opposent avec la discipline de leur entraînement militaire à la horde de pirates venue envahir leur navire.

Un assaut sur le pont d'un bâtiment n'est pas comme un face-à-face conventionnel sur quelque champ de bataille choisi d'avance pour sa nature dégagée. Un pont est un site exigu, aux obstacles nombreux – bas-mâts, gréements, surbaux… –, sans compter les cadavres et les blessés gisant sur le plancher. Gênés, attaquants comme défenseurs ne peuvent garder une véritable ligne d'affrontement, et chaque combattant court le risque d'apparaître soudain isolé au centre d'un noyau d'ennemis.

Aussi, toutes les armes susceptibles de toucher un allié – explosifs, fusils, pistolets, arcs et arbalètes – sont rapidement troquées pour les poignards, épées, haches, piques et hallebardes. Il s'ensuit dès lors un carnage qui donne l'aspect de mignonnette à l'étal du boucher.

Sans l'avoir voulu, en partie à cause des instants perdus à reprendre mon équilibre et à discuter avec mes camarades, je me retrouve à l'arrière des hostilités devant une mer de pirates, puis une mer de pirates et d'Espagnols mélangés. Bien qu'il y ait encore, parfois, une détonation de pétrinal, le pont d'*El Ambicioso* résonne surtout des clameurs de la mêlée: chocs des lames qui s'entrecroisent ou heurtent cuirasses et boucliers, chuintements des chairs qui s'ouvrent, craquements des crânes qui se brisent, halètements et éclats de voix des pourfendeurs, plaintes des blessés, geignements des agonisants, crissements des bottes sur le bois, le tout marié aux claquements de la voilure et au fracas des vagues.

À l'amas sanguinolent des victimes de la mitraille s'ajoutent les estropiés et les tués de la lutte rapprochée. Se confondent alors, aux uniformes des militaires, aux peaux bronzées des matelots, les longues chevelures noires de quelques Kalinagos, les masses sombres de trois ou quatre Africains, la silhouette familière de cinq, six pirates blancs.

— Par les grelots du pape, Gédéon! T'as les deux pieds dans la mouscaille!

Je suis tiré de mes observations par le Jésuite qui s'acharne à percer le buste d'un Espagnol à l'aide de son crucifix – celui dont les jambes du Christ sont, en fait, une lame acérée. Déjà, la manche droite de sa bure est maculée de sang jusqu'au coude.

Je baisse le nez et constate que, en effet, je patauge dans les viscères d'un soldat qui, pas encore mort, ouvre et ferme la bouche en alternance, pareil au poisson hors de l'eau. Yeux à demi révulsés, il cherche l'air que sa poitrine déchiquetée lui refuse désormais.

— Tu ferais mieux de retourner sur l'*Ouragan* avant de recevoir un coup de pique malvenu, déclare le Jésuite en se redressant.

Puis, avant de s'en prendre à un nouvel adversaire à deux pas, il me jette par-dessus son épaule:

— Ta place n'est pas au milieu de la fange ennemie, mais derrière les canons. Alors, éloigne-toi d'ici!

Et il se désintéresse de moi.

Peste! Quelle manie ont-ils tous de vouloir me confiner derrière mes canons!

les autres pirate veulent que Gédéon reste derrière canons à l'abris

32

Machinalement, je tourne la tête vers l'*Ouragan*. Pas question de revenir à bord avec les blessés, les malades et le chirurgien ! Je ne suis plus un enfant...

J'aperçois deux mousses kalinagos de treize ans qui, du haut de la dunette, penchés sur leurs tambours, encouragent les nôtres en faisant de la musique.

Et je ne suis ni musicien...

Bec-de-Flûte est à leurs côtés et souffle de tous ses poumons dans sa flûte, un instrument fort long, fabriqué avec un os de jambe pris sur le squelette d'un ennemi sacrifié et mangé.

Et ni faible d'esprit.

À la proue d'*El Ambicioso*, Mange-Cœur, notre capitaine – et mon père –, torse nu, vêtu d'un pantalon de toile et chaussé de bottes, croise l'épée avec trois adversaires à la fois. Il est beau à voir se fendre et rompre, lui réputé invincible à l'escrime – tout de même, ils sont trois ! Sa rapière, un solide fer de Tolède, étincelle sous le soleil en dessinant des arabesques enflammées. Elle...

— Tripes de biche, Gédéon ! Pousse-toi !

Je fais un pas de côté pour éviter Grenouille qui a fort à faire contre un soldat deux paumes plus grand que lui. Mon camarade, en rapides moulinets de son sabre, cherche à échapper à la longue pique de l'Espagnol, mais chaque fois qu'il dévie la trajectoire de l'arme d'hast, son opposant parvient à la corriger grâce à la longue portée de ses bras. Si Grenouille arrive à limiter les dégâts à quelques écorchures – pour le moment –, il se désole de voir sa chemise se réduire peu à peu en lambeaux. C'est finalement Urael qui, d'un violent coup de *boutu*, vient au secours de notre compagnon en fracassant la nuque du soldat.

— Défie-toi !

Grenouille me lance l'avertissement au moment où il se retourne vers moi – je crois qu'il s'apprêtait à me tancer pour lui avoir compliqué le combat. Du coin de l'œil, j'ai juste le temps de voir briller un éclat métallique. Je me penche incontinent et ressens contre ma tempe un frôlement vif. Le marin espagnol qui m'a pris pour cible, emporté par le fort élan qu'il s'est donné et par le poids de la hache au bout de son bras, arque le corps sur sa gauche. Avant qu'il ne se redresse pour porter un deuxième coup, il reçoit une flèche en pleine gorge. Il s'écroule sur-le-champ.

À quatre pas de moi, debout sur le bastingage de l'*Ouragan* pour se pourvoir d'un angle de tir plus favorable, je reconnais un Kalinago de mon âge – mais dont j'ai oublié le nom – en train d'encocher une nouvelle sagette à son arc. Je lève mon poignard pour le remercier, mais avant qu'il réagisse, je vois une lance pénétrer profondément sa poitrine. La corde qu'il s'efforçait de bander se relâche et la flèche va se perdre dans le bois du pont.

Ça commence à chauffer drôlement. Les Espagnols, s'ils ont été lents à se secouer, se défendent maintenant avec une intensité qui leur fait honneur. Les officiers, que l'on identifie à leurs meilleures cuirasses et à leur air méprisant, savent prêcher par l'exemple en pour-fendant leur lot d'assaillants, exhortant leurs hommes à les imiter. À vue de nez, le nombre d'adversaires semble égaler le nôtre, mais ils paraissent mieux ins-pirés pour le combat.

— Les gradés ! lance soudain Mange-Cœur qui, du haut du gaillard de proue, en est venu à la même conclusion que moi. Les gradés ! répète-t-il en français et en caribe. Tuez d'abord ceux qui donnent les ordres !

Et le voilà qui, pour s'ériger en modèle, transperce un sergent d'outre en outre. Il jette un œil vers la poupe, s'élance dans l'escalier menant au passavant – une longue passerelle qui permet de traverser de l'avant à l'arrière –, mais se trouve aussitôt ralenti par deux escrimeurs.

Du regard, je suis la ligne imaginaire tracée par les yeux de mon père et découvre ce qu'il cherche : l'offi-cier supérieur qui dirige ses hordes du haut de la dunette. En claironnant, celui-ci stimule ses hommes, les enhardit, et son autorité et son influence sont telles que les soldats dans son entourage immédiat se battent avec une énergie et une force décuplées.

Mange-Cœur a compris que, pour limiter les dégâts – voire gagner la bataille –, il faut au plus tôt se débar-rasser du commandant espagnol et, par le fait même, saper l'ardeur de ses troupes. Mais le passavant four-mille maintenant d'Espagnols et jamais mon père ne parviendra à atteindre la poupe.

Je suis toujours au bastingage d'*El Ambicioso* et amis comme ennemis ne me prêtent aucune attention.

À moi de jouer !

2

Quelque part dans la mer des Caraïbes,
12 octobre 1571

Devant moi, les lames tournoyantes et les pointes acérées me persuadent qu'atteindre la dunette en traversant le tillac est de la dernière illusion. Impossible également de courir sur la lisse de pavois, je n'ai pas de dons d'équilibriste.

Puisque le passage est coupé à mes pieds…

Je lève les yeux. Au-dessus de moi se profile la géométrie régulière des haubans et enfléchures, ce haut treillis de cordages qui assurent le maintien des mâts par le travers. Drisses, galhaubans et autres boulines pendent çà et là, balancés par le roulis.

Poignard entre les dents, je grimpe une huitaine de degrés et m'empare d'une écoute qui pend de la grande vergue. L'itague à son extrémité me tient lieu de poignée. Je m'y accroche et me donne un élan suffisant pour rejoindre une pantoire. J'empoigne celle-ci à sa base, l'œillet me servant d'assise. Je lâche la première corde et effectue un large arc de cercle pour atteindre l'amure bâbord. J'y pose les pieds une seconde, le temps d'abandonner la pantoire pour me rattraper au haubanage de l'artimon.

En quelques secondes seulement, j'ai traversé sans mal le flot de batailleurs et j'arrive à mon but : l'officier espagnol à une toise en dessous de moi. Je n'en reviens pas. Je jette un coup d'œil rapide vers mon père, dans l'espoir qu'il m'ait remarqué et qu'il s'émerveille des exploits de son fils, mais le capitaine Mange-Cœur a trop à faire. Tant pis. Lorsque j'aurai le chef à ma merci, il lui faudra bien reconnaître mes capacités. Il lui faudra bien comprendre que je ne suis plus un enfant et que je peux aussi me prévaloir de la gloire des combats.

J'espère à tout le moins que Grenouille, Nez-en-Moins, Santiago et, surtout, ce maudit Bouche-Trou me regardent en ce moment, car je passe à l'action !

Tel que je suis doué pour ce faire, pendant un moment, j'estime les branles du bateau. L'angle selon lequel je dois sauter pour atterrir directement sur la tête de l'officier m'apparaît des plus clairs et je n'hésite pas un instant. Je reprends mon poignard dans une main et ne me retiens plus que de l'autre. Si j'ai la réputation d'être un véritable génie en matière d'évaluation des volumes, poids et mouvements, je suis toutefois – comme je l'ai déjà mentionné – un tantinet maladroit.

Quand je bondis, trois orteils de mon pied droit restent accrochés une fraction de seconde au nœud d'enfléchure. Ma cheville se tord et mon genou contraint mon bassin à une inclinaison de vingt-deux virgule quatre degrés vers l'intérieur du cercle de la trajectoire prévue. Autrement dit, je bascule en pivotant au lieu de plonger à pic sur ma proie.

Ainsi, plutôt que de frapper l'officier espagnol avec mes deux pieds directement sur son crâne, je heurte son épaule avec ma hanche. Le pistolet qu'il pointait vers le tillac tombe sur le sol et, pendant que je finis de m'écrouler avec ma victime, j'entends l'arme glisser sur le plancher puis débouler les marches donnant sur le gaillard. La voilà inaccessible, c'est déjà ça.

Hélas, il m'a semblé ouïr mon couteau suivre le même chemin ; en tout cas, il n'est plus dans ma main.

Je devrais faire en sorte de déplacer mon poids le plus possible contre la tête de l'Espagnol, mais j'ai trop à faire pour éviter de me casser les os. Je roule plutôt contre la poitrine de ma victime, m'écorche les lèvres au passage sur le gorgeret de sa cuirasse et heurte le bois simultanément avec le menton, un coude et une rotule. Quand le mât d'artimon et toute sa voilure cessent de tourner autour de moi, je constate que je suis recroquevillé sur le côté avec un élancement au genou et à la cheville, et avec un goût de sang dans la bouche.

Et l'amiral, fou de rage, me domine de toute sa taille, solidement campé sur ses deux jambes, l'épée à la main.

Pareil à une bougie de mauvais suif, le front de l'Espagnol ruisselle d'une moiteur grasse. Ses sourcils, arqués par la fureur, brossés en pointes de porc-épic, encerclent des yeux enflammés d'où rayonnent des veinules lie-de-vin. Son nez, trop long et étrangement retroussé, identique au mufle du tatou, frémit au-dessus d'une grosse moustache blondie de soleil. L'extrémité des poils surplombant sa lèvre supérieure jette des reflets pâlots, baignée sans doute de trop de cidre et de guildive infecte.

Sa barbe est si touffue qu'elle masque entièrement le gorgerin de sa cuirasse. Ses épaules…

Mais là s'arrête la description que je tire de l'officier, car les événements s'accélèrent. Ma proie devenue prédateur lève à deux mains l'épée au-dessus de sa tête en prenant une grande inspiration. L'Espagnol s'apprête à frapper de toutes ses forces et j'évalue alors à quelle fraction de seconde il me faudra réagir afin de bénéficier du plus de chances d'échapper à son…

Il s'immobilise.

Par instinct – ou par quelque bruit capté d'une oreille fine –, il a deviné que quelqu'un l'approche par-derrière. Moi-même, du coin de l'œil, j'aperçois une large silhouette surgir dans les marches de l'escalier. Pas besoin de la fixer directement pour reconnaître la masse herculéenne de Deux-Poignards, colosse africain qui me couve comme un grand frère son cadet.

— Ne touche point à ce fadrin, misérable ! grince le pirate quand il constate l'inutilité désormais de s'avancer en catimini.

Je me redresse à demi. Je distingue d'abord la chaîne en or qui, sur le torse nu de Deux-Poignards, évoque un coulis de miel. À sa base, un grigri d'os et de coquillages appelle la protection des esprits africains. Le crâne du pirate noir est entièrement rasé, ce qui lui permet de mieux faire étalage de cette moitié de pavillon d'oreille qui lui reste à droite, conséquence de sa première rencontre avec Nez-en-Moins, six ans plus tôt.

Une large bande fabriquée de mailles de fer, semblable aux cottes des soldats, enveloppe sa main gauche. Dans l'autre, il tient un coutelas.

— Peut-être n'entends-tu point le français, mais je t'en avise quand même : tu as là le fils de notre capitaine et, par tous mes ancêtres, si tu ne t'éloignes pas de lui immédiatement, je te jure que ni moi ni aucun de mes…

— Gare, Deux-Poignards !

Mon cri éclate juste à temps. L'Africain pivote avec une agilité qui, émanant d'une pareille masse musculaire, étonne toujours. Son poignard pénètre profondément la tempe d'un soldat, une marche plus bas, tandis que, simultanément, d'un violent coup de pied, il broie la poitrine d'un second militaire.

Mais les deux secondes nécessaires au pirate pour se débarrasser de ses adversaires suffisent à l'officier pour me saisir par les cheveux, m'obliger à me relever et m'enserrer contre son torse d'un biceps puissant.

Quand l'Africain se retourne, il ne peut plus rien faire contre la lame de l'Espagnol bien appuyée sur ma gorge.

— *¡ Soy el almirante Genaro Torrés y si no detenéis los combates inmediatamente, voy a matar el hijo de vuestro capitán !*

S'il ne parle pas la langue française, ledit Torrés semble fort bien l'entendre. *Hijo de vuestro capitán*, ça veut dire « fils de votre capitaine », non ? Il a donc bien saisi ce que Deux-Poignards a affirmé, plus tôt. En ce qui concerne le reste de sa menace, nul besoin de connaître le castillan : le tranchant sur ma gorge est éloquent.

Les dents étonnamment blanches de Deux-Poignards, dans son visage si noir, laissent filtrer des bulles de salive que génère sa rage impuissante. Il grogne comme le pécari piégé par le puma.

Je n'en mène pas large.

Je sens non seulement le fil acéré de la rapière bien appuyé contre ma chair, mais aussi la caresse chaude du sang qui glisse le long de ma pomme d'Adam. Je n'ose lutter contre le bras qui m'emprisonne – et auquel je me cramponne à deux mains – de peur que la lame ne pénètre mon cou encore plus profondément.

— *¿ Oís, piratas ? ¡ Cesad los combates !*

— Santiago ! Santiago ! Par le caleçon du Christ ! Que veut cet animal ?

Mange-Cœur, debout sur la balustrade du passa-vant, retenu à une drisse de la grand-voile, son épée dégoulinante de sang, quatre cadavres sous lui, cherche son bosco dans la mêlée. Les affrontements sur le pont perdent de l'intensité, amis comme ennemis saisissant qu'un élément imprévu est en train de modifier la donne.

— L'Espagnol exige que nous cessions les combats, que nous nous rendions, capitaine, hé, hé! répond Santiago qui, près du râtelier du grand mât, lève une main devant son adversaire en appel d'une trêve.

— Dis-lui de lâcher Gédéon, alors! réplique aussitôt Mange-Cœur. Dis-lui que nous...

— ¡Dejad al suelo vuestras armas! ¡Después vos devolveré el chico!

— Voilà le nœud du problème, hé, hé! émet le bosco, sans joie. Son Excellence l'amiral Genaro Torrés réclame que nous jetions nos armes d'abord, ensuite il libérera le fils du capitaine des pirates.

En dépit de la distance, je vois le feu de la colère embraser le regard de mon père tandis que la déception tire ses traits en la plus détestable grimace. Pendant une seconde, je ressens comme un moindre mal la rapière sur ma gorge.

Si mon intention était précisément d'arrêter les hostilités, je ne prévoyais pas placer mes camarades dans un pareil embarras. Au vrai, habituellement, une telle exigence de la part de l'ennemi ne gêne pas l'ombre d'un scrupule chez les pirates, mais puisque je suis le fils du capitaine, certains s'interrogent. Je le vois à ceux qui s'efforcent de parer les assauts de leur adversaire, mais ne se portent plus à l'attaque…

— *¡ Deja tu puñal!* grince l'officier à l'égard de Deux-Poignards.

— Hé, hé! Il te demande de jeter ton coutelas! crie Santiago, du râtelier d'où il n'a pas bougé.

L'Africain me regarde, hésite, puis, après une grimace mauvaise en direction de l'Espagnol, laisse tomber son poignard. La lame se fiche dans le bois du tillac en bas des marches en piaulant.

Sitôt que le colosse s'est exécuté, l'amiral Genaro Torrés, sans me relâcher, abandonne ma gorge pour diriger la pointe de sa rapière vers Deux-Poignards. Avec une traîtrise des plus viles, sans égard pour l'ennemi désarmé, il se fend pour planter son fer dans la poitrine de mon ami.

Mais…

Mais ne se joue pas si facilement qui veut de Deux-Poignards.

D'un geste vif de sa main gantée de métal, l'hercule saisit la lame à pleine paume et dévie sa trajectoire. Puis, brutalement, il hale à lui l'officier qui, déséquilibré au préalable par sa propre impulsion, pivote à demi. Accroché à moi comme s'il m'était possible de le retenir, l'amiral fait deux pas avant de réussir à ficher sa botte au sol et à briser l'élan.

Toutefois, Deux-Poignards, déjà, a eu le temps de glisser une main derrière son dos et d'en tirer un second coutelas. Avec une motion foudroyante, il ramène la lame devant lui et la plante profondément dans l'œil de Torrés.

L'instant suivant, sans plus la grâce ni la morgue qu'il s'efforçait d'afficher, avec l'inélégance d'une poche de grains qu'on jette du grenier, l'Espagnol s'effondre sur le plancher de la dunette. Son bras me ceint toujours avec force, aussi je ne parviens pas à m'en dégager et suis entraîné avec lui. Quand je m'en défais enfin et me redresse, c'est sous la fixité de sa pupille valide, dernière menace de l'ennemi qui parcourt déjà l'antichambre de l'enfer.

Une fois debout, je me retrouve devant un mur noir.

Mon ami africain, face au tillac où chacun vient d'assister à la déconfiture de l'amiral espagnol, hurle en levant ses poings au ciel :

— Maintenant, vous savez pourquoi on m'appelle Deux-Poignards !

3

Après la mort de l'amiral Torrés – et ma déli-vrance –, les combats reprennent, mais l'avantage tourne rapidement en notre faveur. Démotivée, la soldatesque espagnole rompt davantage qu'elle se fend, ses piques et ses lances se plantant plus souvent dans le bois que dans les poitrines, sa poudre ne tonnant plus. Parmi les marins, une dizaine, moins intrépides que les militaires, réussissent à mettre une chaloupe à la mer. À grands coups de rames, ils luttent contre les vagues afin de s'éloigner du navire.

Du haut de la dunette – près du corps de l'amiral, où je suis resté –, je vois Grenouille bondir à l'un des pierriers d'*El Ambicioso*. Deux Africains l'imitent aux bouches à feu voisines et, en trois salves, les pirates arro-sent les fuyards de mitraille. Les avirons s'immobilisent sur leur tolet pendant que, rapidement, la chaloupe se remplit de sang.

Sur le pont du galion, l'intensité des combats diminue. Ici et là, de simples soldats d'abord, puis des *cabos*, des sergents et, enfin, des *tenientes*, jettent leurs armes les uns après les autres, demandent grâce. Un haut gradé – on le voit à sa cuirasse ouvragée et à son haut-de-chausses plus soigné –, debout au centre du bastingage, une main sur les haubans, s'assure que Mange-Cœur le regarde puis, d'un air résigné, laisse son épée tomber sur le sol.

— ¡ *Nos rendimos !* Nous nous… rendissons. *Cesad los* combats ! lance-t-il dans sa langue et puis en mauvais français.

Plus soulagés que déçus, les quelques Espagnols qui s'efforcent encore de juguler le torrent de pirates baissent leurs lames. Plusieurs des nôtres en profitent pour porter un coup mortel à leur adversaire, faisant peu de cas des convenances en matière militaire.

— ¡ *Cesad !* ¡ *Cesad los combates !* s'époumone le *teniente* en voyant s'effondrer ses subalternes, traîtreusement occis.

— Arrêtez ! ordonne enfin Mange-Cœur en grimpant sur le cadavre de sa dernière victime. Ne les tuez pas tous ! Gardons quelques prisonniers pour les sacrifier à Chemíjn, le dieu des cannibales.

Il tourne ensuite son épée dans la direction du haut gradé.

— Toi ! dit-il.

L'Espagnol fixe mon père avec la morgue du supérieur qui accepte la défaite du corps, mais pas celle de l'esprit.

— Et Santiago !

Notre capitaine, s'il maintient la pointe de sa rapière vers l'officier, arque le tronc pour repérer son second. Celui-ci se présente d'un pas vif en enjambant les cadavres. Nez-en-Moins et le Jésuite, en dignes autorités exerçant le pouvoir après le bosco, s'avancent également pour rejoindre Mange-Cœur. À cause de ma maladresse, je n'ose encore m'approcher de mes parangons, préférant observer de mon poste la reddition de nos ennemis.

— Santiago, traduis pour moi, ordonne mon père.

— Hé, hé !

— Dis à cet Espagnol qu'il ne s'attende à aucune faveur, que tous les blessés et les invalides seront jetés à la mer, que nous ne gardons vivants que les bien portants et que ces derniers seront emmenés à titre d'esclaves. Enfin, bref, le discours habituel. Tous ceux qui résisteront le moindrement seront passés au fil de l'épée. Ils…

— Aaaargh !

Chacun se tourne vers le sergent qui a poussé ce cri. Un poignard profondément ancré dans la gorge, celui-ci s'agenouille aux pieds de Grenouille.

— Désolé de vous interrompre, capitaine, lance le pirate en retirant sa lame. Celui-ci résistait, justement.

Un flot de sang jaillit de la blessure béante tandis que l'Espagnol s'abat sur le pont au milieu des autres cadavres.

Mon cœur s'accélère dans ma poitrine lorsque je constate que Mange-Cœur, après n'avoir prêté qu'une bien mince attention à Grenouille, lorgne dans ma direction. Il s'avance vers moi. D'instinct, je recule de deux pas.

Chacun suit mon père des yeux pendant qu'il atteint le pied de l'escalier, récupère mon poignard tombé avec le pistolet de l'amiral et franchit les quatre marches pour rejoindre le sommet du gaillard.

Je recule d'un pas supplémentaire. Cependant, mon père m'ignore totalement. Il se tourne plutôt vers Deux-Poignards et lui intime :

— Aide-moi.

L'Africain, qui avait descendu les degrés, remonte incontinent. Il se penche sur le corps de Torrés et, dans un mouvement concerté avec notre capitaine, soulève le cadavre pour le plaquer contre la cloison du château. Il le maintient en position d'une poigne solide à la gorge.

— Enlevons-lui sa cuirasse.

Avec mon couteau, Mange-Cœur tranche les lacets qui nouent la carapace à la taille de l'Espagnol puis, toujours avec l'aide de Deux-Poignards, retire la protection.

Ensuite, le Noir empoigne l'amiral à l'arrière par sa ceinture et par la nuque, puis le présente debout aux hommes sur le pont. L'œil mort semble fixer l'assistance avec une morbidité décuplée par le coutelas encore fiché dans l'autre orbite.

Mon père se place de manière à se tenir à la droite de l'Espagnol. Il s'adresse autant à ses pirates qu'aux prisonniers d'*El Ambicioso*. Santiago, comme d'habitude, se dispose à traduire en castillan les paroles de son capitaine.

Ce dernier prend de longues secondes avant d'ouvrir la bouche, histoire de s'assurer l'attention complète de l'auditoire. Je l'observe à cinq pas de retrait, m'efforçant de masquer ma peur des châtiments dont je risque d'écoper en dépit de la victoire.

— Je suis le maître de l'Utopie d'Anahiville, l'ennemi de tous les mesquins qui, dans le Nouveau Monde, refusent de reconnaître à ceux qui ne partagent point leur religion et leurs traditions le droit de coexister, le droit de se répartir les bienfaits de cette terre.

Malgré son habillement des plus modestes – simple pantalon sans chemise –, et malgré une coiffe élémentaire – ses longs cheveux à l'indienne noués dans le dos à l'aide d'une cordelette de maho ornée de coquillages –, mon père en impose. Ne serait-ce que par son corps musclé bruni de soleil, ses épaules larges, sa manière de tenir le menton haut, de regarder chacun droit dans les yeux, de profiter d'une voix puissante, d'un charisme qui transparaît même à travers les dehors tragiques et mélancoliques de sa nature.

— Je suis le prince noir des Africains qui ont accepté ma gouverne, le pape des catholiques sous mon égide, l'archevêque des huguenots, le cacique cannibale de mes indigènes… Je suis le grand prêtre de… la religion des autres !

Il laisse s'écouler quelques secondes, le temps à Santiago de traduire et à ses paroles de produire leur effet…

— Je suis le capitaine Mange-Cœur !

À ces mots, il se tourne vers le cadavre, ouvre la chemise avec mon couteau puis, après avoir exposé au soleil la peau blanche de l'abdomen, y enfonce la lame jusqu'à la garde. Il découpe une large entaille du nombril au sternum avant de retirer le couteau et de l'abandonner sur le sol.

Je vois les Espagnols afficher une mine intriguée quand mon père, d'un geste expert, plonge la main droite profondément dans la blessure. L'expression des spectateurs devient carrément horrifiée lorsque, au bout de son poing, il retire le cœur sanguinolent.

— Je suis le capitaine Mange-Cœur ! répète-t-il. Et je me nourris de l'âme de tous ceux qui refusent d'agréer aux principes de partage !

De nombreux Espagnols se penchent alors pour vomir tandis que d'autres ont un mouvement de recul, les yeux arrondis dans la plus pure affirmation de dégoût. Il faut admettre que, la première fois, il est toujours impressionnant de regarder Lionel Sanbourg, dit Mange-Cœur, né chrétien, porter à ses lèvres un organe encore chaud pour y mordre à belles dents !

— Suffit, monsieur Sanbourg ! Dieu du ciel, ce que vous contez là me donne la chair de poule !

— Vous m'en voyez navré, monsieur le marquis. Je me permets toutefois de vous rappeler que vous avez insisté pour que je lise…

— Certes, certes. Je ne vous demande pas de cesser de lire, mais de me trouver un sujet plus distrayant… N'avez-vous pas d'autres écrits ?

— Des notes qui furent prises par le Jésuite, par Nez-en-Moins… ou par mon père. Il y a aussi…

— Ce sera très bien. Poursuivons avec lesdites notes, ces feuillets que vous tenez dans votre main gauche, oui. Allez-y.

— La bouline ?
— La bouline.
— N'est-ce pas un peu… sévère ?
— Non.

Nez-en-Moins caresse du bout des doigts le cache-nez en taffetas qui couvre son visage du haut des joues aux moustaches. Le masque lui permet de dérober aux regards la narine unique qui lui tient lieu d'appendice nasal depuis qu'un vilain coup d'épée l'a défiguré. Noble français sans terre, huguenot ayant fui les guerres de religions, un temps corsaire sous les couleurs d'Élisabeth d'Angleterre, il a su se gagner l'estime de Mange-Cœur, puis de toute la confrérie pirate, par sa bravoure et son équité.

Il est debout près d'une fenêtre dans la cabine du capitaine, une épaule appuyée au chambranle, les yeux fixés sur le crépuscule. À contempler le soleil rouge qui se dispose à toucher l'horizon, il a l'impression d'observer un géant grimé de rocou se penchant pour boire à même la mer.

— Ce n'est pas trop sévère, insiste Mange-Cœur, assis derrière son bureau, et qui interprète le mutisme de son homme de confiance comme un reproche voilé. À cause de sa maladresse, non seulement Gédéon a-t-il risqué de se faire tuer bêtement, mais il a failli permettre aux Espagnols de remporter la victoire.

— Parce que les nôtres ont eu peur de la réaction de leur capitaine, réplique vivement le Jésuite. Ils ont eu peur que leur refus d'obtempérer aux intimations de l'amiral Torrés les rendent responsables de la mort de Gédéon. Jamais ils n'auraient ralenti le combat si un autre que ton fils s'était retrouvé otage de l'ennemi. La faute n'en revient donc pas tout à fait à ce garçon.

— Il est bête.

— Lionel !

Quand le Jésuite s'oublie au point de s'adresser à mon père par son prénom, c'est qu'il ressent le besoin de rappeler à son ancien élève l'autorité dont il le coiffait jadis.

Bien sûr, en tant que principal sujet de l'entretien qui se déroule alors dans le bureau de Mange-Cœur – entre ce dernier et ses seconds : Santiago, le Jésuite et Nez-en-Moins –, je ne suis pas présent. C'est par le Jésuite, plus tard, au cours d'une banale conversation, que j'en apprendrai les détails.

— Hé, hé ! Il n'est point si bête, se sent obligé de corriger Santiago, adossé à la porte, le nez penché sur la pointe du couteau qu'il insère sous ses ongles pour les nettoyer de résidus de sang séché. Il n'est point si bête, répète-t-il, puisqu'il est le seul à savoir calculer avec précision l'endroit exact où tombera le boulet tiré avec telle charge de poudre, sous tel angle, dans n'importe quelle condition de vent, de soleil ou de pluie. Hé, hé !

— Ce détail, je te l'accorde, grogne Mange-Cœur en tapotant le dessus de son bureau avec son index, mais il n'empêche que sa lourderie aurait bien pu nous coûter la vie. Déjà qu'on ne s'attendait pas à une résistance aussi farouche des Espagnols.

— Après des semaines de traversée de la mer océane, suppose Nez-en-Moins, l'œil toujours fixé sur le couchant, ils avaient sans doute hâte de bouger et d'en découdre.

— Sans doute.

— Et le butin valait le risque, s'empresse de préciser le Jésuite comme pour détourner la conversation de mon cas. Dans les cales, j'ai trouvé des outils divers, des barils de clous, de la bonne corde de chanvre, des graines de blé pour les semailles, des étoffes de toutes les qualités, du vin des meilleurs cépages… Et encore, ce n'est qu'une inspection sommaire ; je n'ai point eu le temps de parcourir tous les recoins des entreponts.

— Hé, hé ! Des étoffes. Voilà qui ne manquera pas de plaire à nos petites chéries d'Anahiville. Elles commençaient de se plaindre que notre communauté paraissait pauvre, si riche soit-elle du trésor retrouvé de Cape-Rouge.

— Et malgré l'immense quantité d'or, d'argent et de pierreries qui s'accumule dans nos coffres sans jamais en sortir, rétorque Nez-en-Moins, et qui, par conséquent… semble inutile.

— Pourquoi risquer la corde en allant nous approvisionner dans les ports européens quand les navires en provenance d'Espagne nous apportent tout ce dont nous avons besoin ? se moque le Jésuite.

— Hé, hé ! Nous les habillerons en duchesses, nos chéries et nos filles, de la plus jeune lavandière à l'épouse du meunier, et plus que jamais elles se sentiront égales – supérieures même – aux femmes d'Europe, hé, hé !

— Surtout égales entre elles, précise Nez-en-Moins en tournant le visage vers Santiago. N'oublions pas la première règle de notre Utopie : la parité pour tous, marins comme marchands comme ouvriers…

— C'est pourquoi chacun, pour une faute égale, doit être puni d'égale manière, qu'il soit fils de boulanger ou fils de capitaine, insiste Mange-Cœur, intraitable.

— Tu marques un point, approuve le Jésuite en caressant son menton glabre d'un geste distrait. Mais l'étourderie aurait-elle été châtiée aussi sévèrement si, justement, elle avait été commise par le fils du boulanger ? Ou encore par ce brave, mais ô combien benêt, Bec-de-Flûte ?

— À n'en point douter, persiste simplement Mange-Cœur. Et le châtiment sera la bouline.

Le moine défroqué pousse un soupir en laissant tomber les mains de chaque côté de lui en signe d'abandon. Nez-en-Moins se détourne de la fenêtre, mais reste le dos appuyé au chambranle. Bras croisés sur la poitrine, il s'adresse à Mange-Cœur :

— Dois-je placer des sentinelles sur *El Ambicioso* ? Même si on n'a point décroché les grappins et qu'on a ferlé toute la voilure ?

— On ne remet pas les voiles ? s'étonne le Jésuite.

— Seulement au matin, répond le capitaine en se calant contre le dossier de sa chaise. J'ai donné quartier libre aux hommes, ce soir. Ils ont bien mérité de faire carrousse pour fêter cette victoire et pour célébrer nos morts.

Puis, tournant la tête vers Nez-en-Moins, il poursuit :

— Quelques mousses ainsi que Bec-de-Flûte seront de corvée sur *El Ambicioso*.

— Et Gédéon, hé, hé ! précise Santiago.

— Et Gédéon, approuve Mange-Cœur. Veiller toute la nuit sur les prisonniers aux fers à fond de cale, s'assurer que les grappins qui lient les deux bâtiments ne se décrochent point, que le vent ne se lèvera pas tout soudain pour mettre en péril notre harnachement... Ça fera partie de sa punition.

Il soupire en haussant les épaules avant de conclure :

— Peut-être ainsi les hommes seront-ils moins sévères au moment d'appliquer la bouline.

4

Quelque part dans la mer des Caraïbes,
nuit du 12 au 13 octobre 1571

Courir la bouline.

Pour le condamné, le supplice consiste à passer entre deux haies de matelots qui le frappent avec des boulines, ces cordages terminés en pattes d'oie. Chacun participe ainsi au châtiment et peut porter les coups avec la force jugée appropriée à la gravité de la faute. En général, ceux qui sont sympathiques à la victime y mettent moins de cœur que les autres ; cependant, s'ils sont soupçonnés d'avoir démontré trop d'indulgence, ils s'exposent à subir la même peine.

Voilà ce qui occupe mes pensées tandis que j'observe un lourd croissant de lune s'immerger à l'endroit précis où le soleil a disparu, cinq heures plus tôt.

Les vagues, poussées par une mollette brise nocturne, bercent *El Ambicioso* d'un ballottement paisible. Les manœuvres, auxquelles sont attachés les grappins reliant les deux galions, grincent de concert avec les bordés joue à joue. Les vergues, pareilles à de longs bras ouverts, oscillent au bout de leur mât, et il me semble contempler des géants, menton au ciel, avalant de grandes goulées d'étoiles.

Sur le gaillard de poupe, près de l'escalier où est mort l'amiral Torrés, deux Kalinagos de treize ans, armés d'arcs et de flèches, montent une garde symbolique. Je ne distingue que leurs silhouettes charbonnées contre la voûte constellée. Personne ne les a avisés qu'il valait mieux surveiller les écoutilles plutôt que le large.

De la proue me parviennent les notes mélancoliques du flageolet de Bec-de-Flûte. Sa musique tristounette jure avec les rires et les éclats de voix en provenance de l'*Ouragan*, là où les pirates festoient.

Je me demande si la pire des punitions n'est pas d'être mis à l'écart des réjouissances plutôt que d'être fouetté par ses compagnons.

Je suis perdu dans mes pensées moroses, assis sur un ramas de cordages, coudes appuyés contre la lisse de pavois, lorsqu'un frôlement à peine ouï me fait détourner la tête vers le tillac. Tout d'abord, je ne perçois que les contours sombres des manœuvres se découper à contre-jour dans la lumière vacillante des bougies allumées sur l'*Ouragan*. Puis, il y a le mouvement imprécis d'une forme tout aussi imprécise.

Quelqu'un émerge des surbaux de la grand-rue, c'est-à-dire, dans notre jargon, de la grande écoutille menant à la cale !

Mon cœur s'arrête, car, en premier lieu, je pense qu'il s'agit de prisonniers espagnols qui, par je ne sais quel mystère, sont parvenus à briser leurs chaînes, à ouvrir le cadenas du compartiment où ils sont enfermés et à s'échapper. Ensuite, je distingue le froufrou agité de brise d'une longue robe de femme.

Maoualie! Le Kalinago travesti en donzelle pour mieux leurrer les Espagnols.

Il s'est pris d'affection pour ces tissus européens, ma foi! Que fait-il ici au lieu de célébrer avec les autres? Il jette un premier coup d'œil en direction de l'*Ouragan*, puis regarde à droite et à gauche, ne m'aperçoit pas – ce qui m'étonne étant donné la faible pénombre qui m'enveloppe – et se penche vers l'ouverture d'où il est apparu. Je me redresse afin de l'interpeller quand je perçois un mouvement supplémentaire à la grand-rue.

Une grosse tête de Nègre pointe des surbaux.

— *La vía está libre*, chuchote Maoualie d'une voix fluette. *Se puede venir.*

Et je saisis aussitôt qu'il ne s'agit pas de Maoualie.

Une femme! Une vraie femme! Mais par quel prodige? Je me fonds plus profondément dans l'ombre des cordages le long du bastingage.

Le Noir sort de l'écoutille avec souplesse. Ventre-dieu! Il me paraît aussi costaud que Deux-Poignards. Il est vêtu d'une chemise et d'un haut-de-chausse sombres. Un anneau d'or à son oreille gauche jette une brève étincelle dans la nuit. À son tour, il balaie les environs du regard. Il repère incontinent les deux vigies à la poupe, trop loin et trop distraites pour présenter le moindre danger ; il statue sur la même absence de menaces à propos de Bec-de-Flûte à la proue. Quand ses yeux glissent dans ma direction, ils ne s'attardent pas un instant. Il ne me voit pas. Il faut dire que je me suis davantage fondu dans la pénombre.

Le Nègre s'agenouille, penché sur l'ouverture. Il y plonge une main avant de hisser sans effort ce qui me paraît être un bien léger fardeau.

Une autre femme !

En fait, non : une jeune fille. Oui, car elle est beaucoup plus frêle que la première. De ses deux bras minces et blancs comme le lait des chèvres, elle s'accroche au cou du Noir. Dès qu'elle émerge à l'air libre, le vent emporte ses longs cheveux miellés. Les traits de sa figure me sont voilés par la distance et la pénombre, mais l'ovale de son visage me paraît digne de remplacer la lune, les nuits sans astre.

Lorsque le Noir la dépose près de lui, sur le pont, les jambes de la jeune fille plient sous son poids, et la voilà assise par terre, ses jupes étendues sous elle à la manière d'une talle fleurie.

Pourquoi ne reste-t-elle pas debout ? Est-elle blessée ? Malade ?

— *Ve a buscar el baúl*, ordonne la femme plus âgée au Nègre.

— *Bueno.*

Et, s'assurant d'un œil que ni Bec-de-Flûte à la proue ni les deux Kalinagos à la poupe ne regardent dans leur direction, le Noir abandonne les deux dames pour replonger dans l'écoutille. Je me demande si je dois sonner immédiatement l'alarme et risquer de permettre au Noir de s'enfuir ou, au contraire, attendre son retour et me retrouver devant plus de fuyards encore.

Dans le doute, je m'abstiens.

Furtivement, je me rapproche des deux clandestines en me glissant derrière le râtelier du grand mât. À la faveur du dernier éclat de lune qui s'enfonce dans l'océan, je peux distinguer les traits de la plus jeune.

Comme elle est belle !

En vérité, je n'ai jamais admiré de plus ravissant visage de toute ma vie. Des cils si blonds qu'ils en sont presque luminescents enclosent de larges yeux clairs. Le nez ressemble à un bourgeon délicat dont la fleur est éclose à la hauteur des lèvres, deux pétales rouges en forme de cœur. Un menton petit termine l'ovale fin de cette figure que je verrais bien sculptée au milieu des anges qu'affectionnent les Espagnols dans leurs églises.

Pupilles fixées devant elle en une expression d'attente placide, elle reste assise sur le plancher, les doigts croisés sur sa robe. Debout à ses côtés, la dame paraît bèaucoup plus nerveuse et jette aux alentours des coups d'œil anxieux.

Le Noir revient. Il pousse devant lui – avec un silence étonnant – une malle relativement grande et, je le suppose, relativement lourde. Dès qu'il a repris pied sur le pont, il soulève le coffre en s'assurant, une fois de plus, de la totale incompétence des sentinelles à l'arrière.

— *Por aquí, doña* Filomena, murmure-t-il ensuite à la première femme. *Sígueme.*

Puis, à la jeune fille :

— *No tardaré, señorita* Margarita.

Et il abandonne ladite Margarita – toujours assise par terre – pour entraîner la dénommée Filomena vers la chaloupe suspendue à ses bossoirs.

Pour son bonheur, l'embarcation se trouve sur le bastingage opposé à celui de l'*Ouragan*. Pour le mien, elle est retenue à ses saisines – ses cordages – à huit ou neuf toises vers la proue. Je me glisse en arrière d'un monceau de vêtements pris sur les corps des Espagnols tués ou blessés au combat – vêtements qui, dès demain, devront être répartis entre les pirates selon les règles de partage du butin. Derrière cette nouvelle cache, je peux, à loisir, détailler le profil de Margarita, un dessin parfait sur fond d'étoiles.

Dès ce moment, je sais ce qu'il me reste à faire et j'en frissonne d'avance. Il s'agit de répéter, *grosso modo*, ce que l'amiral Torrés a fait avec moi : saisir ma victime d'un seul bras, appuyer une paume sur sa bouche – sa jolie bouche –, l'obliger à se lever puis, une fois ma position assurée, tout en continuant à l'emprisonner contre moi – tout contre moi –, libérer ses lèvres et placer mon couteau sous son menton.

Je rougis, à la fois de timidité et de plaisir.

Poignard entre les dents – comme Grenouille m'a appris à le porter afin de toujours avoir les mains libres –, je contourne la pile de vêtements pour me rapprocher de ma proie par l'arrière. Son cou délicat se dessine par intermittence derrière une coiffure que les peignes fatiguent à maintenir dans la brise. Comme il serait dommage d'abîmer une gorge aussi exquise !

Évidemment, cela n'est pas dans mes intentions. En me servant d'elle comme bouclier, je veux éviter que le grand costaud noir se retourne contre moi et avoir le temps de sonner l'alarme.

Sauf que…

Sauf que j'ai oublié de tenir compte de ma maladresse coutumière.

Au moment de bondir de ma cachette et de foncer vers la jeune fille, je me prends les pieds dans une paire de bottes entremêlée à un lourd ceinturon, lui-même pincé dans le tissu d'une large veste encore boutonnée à demi dans un haut-de-chausses que retient le poids d'une hallebarde tombée au sol. Au lieu d'empoigner hardiment ma proie, je m'affale de tout mon long dans ses jupes en échappant mon poignard.

Un parfum des plus fins envahit mes narines tandis que j'entends un cri aussi cristallin que celui d'un verre à pied qui se brise. Mon regard croise les magnifiques yeux clairs entourés de cils blonds dans lesquels se devinent successivement le saisissement, la peur puis la stupéfaction. Je reste une longue seconde – ou deux, ou dix – à fixer de près les traits harmonieux de *seño-rita* Margarita. Elle me paraît un peu plus âgée que moi ; dix-huit ans, dix-neuf ans peut-être.

L'affolement l'a-t-elle paralysée ? Ou simplement la surprise ? Toujours est-il que, au lieu de demander secours au costaud à la chaloupe, elle aussi se contente de me dévisager en silence.

— ¡ *Tan eres joven !* murmure-t-elle enfin, les sourcils légèrement froncés.

Il me semble bien qu'elle tend les doigts pour toucher ma joue, mais, réagissant, je me redresse sur mes pieds en cherchant des yeux mon poignard.

— Je n'entends point votre langue, dis-je en voyant briller la lame à cinq pas.

— Tu es si jeune, répète-t-elle en français avec un accent exquis. Je croyais que les pirates…

— *Señorita* Margarita !

Aux bossoirs de la chaloupe, le Nègre vient de déposer la malle. Il a encore les bras dans l'embarcation tandis que, le corps arqué, il me découvre auprès de sa protégée. La femme à côté de lui, pupilles baignées de terreur, porte une main sur sa bouche.

Quand le costaud s'ébranle pour foncer vers moi, je sais que je n'aurai pas le temps de récupérer mon poignard pour menacer la fille. Je sais qu'il ne me sera pas possible de m'en servir comme bouclier.

À moins que…

Le Nègre ignore si je suis armé ou non.

— Levez-vous !

— Je ne puis point, répond la jolie Margarita en gardant sur moi ses yeux toujours plus fascinés qu'apeurés. Je suis infirme.

— Par Mápoya ! Il faudra pourtant bien que...

Je me dis qu'une fille aussi petite ne peut être si lourde même pour un garçon de seize ans à la musculature modeste. Je plie les genoux derrière elle, glisse mon bras gauche sous son aisselle, ressens la rondeur de l'un de ses seins contre mon poignet, la colle à moi et me relève sur mes jambes. Comme je l'avais prévu, elle ne pèse guère plus qu'un jeune pécari. Et puis... et puis, par tous les démons indiens, je ne sais si je me méprends, mais elle ne se débat pas contre ma poigne ! Il me semble même que ses doigts délicats se posent sur mon avant-bras davantage pour s'y pendre que pour s'en défaire !

— N'avancez pas ! Ne bougez plus ou je vous jure que je lui transperce les reins avec mon poignard !

J'ai simplement appuyé l'index et le majeur contre le dos de Margarita. Si celle-ci ne se rend pas compte de ma supercherie ou si elle tarde à la dénoncer, j'aurai assez de temps pour sonner l'alarme.

Mais le Nègre ne paraît guère comprendre la menace. Il fait encore deux pas avant que Margarita traduise ma sommation :

— ¡No muevas más o me matará con su puñal!

— ¡Margarita! ¡Pobrecita! s'exclame doña Filomena.

Gardant les yeux sur le Noir qui fulmine, les muscles bandés, et sur la femme bien près de fondre en larmes, je tourne la tête de profil afin d'être mieux entendu de l'*Ouragan*.

— Alerte! Alerte! Des prisonniers tentent de fuir!

Je perçois d'abord du mouvement en provenance de la poupe d'*El Ambicioso* quand les jeunes de faction répondent à mes cris, puis la flûte de Nazareno sonne l'alarme. Des jurons puis des bruits de course nous parviennent de l'*Ouragan*, ensuite des cliquetis d'arme et des ordres tonnés.

Les pirates apparaissent au bastingage.

J'ai gagné.

5

— Ça protège les jambes du froid ; ça évite que la lame de mon coutelas, sans étui, égratigne ma hanche ; ça éloigne les moustiques... et ça dissimule bien un *boutu*.

Et Maoualie fait une moue prononcée afin de mieux exprimer la supériorité de sa pensée sur celle de ses compagnons. Urael, Ocananmanrou, Tukubuli et moi haussons les épaules. Personne n'est convaincu.

— C'est un vêtement de femmes, réplique simplement Urael en jetant un regard méprisant sur les jupes que le guerrier kalinago s'obstine à porter.

Même s'il s'est débarrassé du haut de la robe, Maoualie conserve les larges tissus qui le ceignent de la taille aux chevilles. Il a coupé les franges du bas qui ont trop baigné dans le magma sanglant de la bataille,

69

découpé la dentelle qui ornait la hauteur des genoux et enlevé les rubans à la ceinture.

— C'est pour les *karifuna*, répète Ocananmanrou en appuyant bien sur le terme caribe qui signifie «femmes».

— À moins que tu ne préfères employer *kallipo-nam*, lance Tukubuli en s'esclaffant.

Car, pour des raisons difficiles à expliquer, chez les Kalinagos – ou Caraïbes –, les femmes n'utilisent pas le même langage que les hommes, et, pour se désigner elles-mêmes, elles disent *kalliponam* plutôt que *karifuna*.

Maoualie, qui n'a pas encore renoué ses longs cheveux derrière son dos, rejette à deux mains ses touffes noires en arrière et pivote sur ses talons pour s'en aller vers le gaillard d'avant.

— Vous êtes jaloux! lance-t-il dans un ultime assaut, pareil au combattant vaincu qui, refusant la défaite, frapperait l'ennemi d'une chiquenaude.

Et, sous nos rires redoublés, il s'éloigne avec un déhanchement qui ne lui est pas naturel dans le frou-frou des jupes.

Ocananmanrou et Tukubuli s'en désintéressent dans les secondes qui suivent. Ils font un pas d'écart pour discuter entre eux d'un autre sujet et je m'apprête à quitter leur voisinage quand le bras musclé d'Urael m'entoure les épaules. Je lève le menton vers lui – car non seulement je ne suis pas très grand, mais ce guerrier amériquain atteint presque la taille de Deux-

Poignards! Son visage affiche encore les couleurs kalinagos dont il s'est peint avant la bataille. Bien qu'il soit issu de la nation wayana, sur la terre ferme, Urael a adopté les coutumes et les dieux des îles. Il semble que c'était pour mieux se faire accepter par les marins du pirate Cape-Rouge à l'époque où ce dernier s'était allié aux Caraïbes pour combattre les Espagnols.

Que d'histoires étranges abrite notre galion, l'*Ouragan*!

— Parlant de femmes, dit le Wayana en caribe et de cette voix grave qui le caractérise, la capture des deux prisonnières qui s'enfuyaient t'a dispensé de courir la bouline. Tu savais que le capitaine t'a gracié?

— Si. Enfin, pas seulement le capitaine, que je réplique, le comité habituel: Nez-en-Moins, le Jésuite, Santiago, Carabois... toi. Je sais que tu as participé au vote.

— Donc, tu sais aussi que la décision a été unanime?

Je hoche la tête dans l'affirmative puis étire les lèvres pour me donner une attitude désinvolte avant de poursuivre:

— Cependant, tu sais, les fugitives n'étaient point des prisonnières. Elles étaient cachées dans les entre-ponts en compagnie d'un grand serviteur noir. C'étaient des passagères que l'amiral Torrés avait la responsabi-lité de transporter vers la Nouvelle-Espagne.

Ocananmanrou, qui a entendu, précise:

— Après l'abordage, on n'a point eu le temps de parcourir les cales d'*El Ambicioso* pour établir un inventaire exact du butin – on s'est contentés d'y enfermer rapidement les survivants de la bataille. Ces femmes ont profité de notre négligence pour s'y dissimuler en espérant fuir la nuit venue.

— Et grâce à toi, elles en ont été empêchées, ajoute Tukubuli en me donnant un petit coup de poing sur l'épaule.

— Ce ne sont pas de si considérables prises, fais-je remarquer, modeste. On ne les mangera point pendant le grand *caouynage* célébrant la victoire. Le Nègre, peut-être, je ne sais pas...

Ocananmanrou, l'index levé, corrige :

— N'empêche, le capitaine a affirmé à Santiago – si, si, je l'ai entendu, j'étais à côté à dépouiller un cadavre –, le capitaine, donc, a déclaré que ces captives rejoindraient les anciens prisonniers, ceux qui servent d'otages depuis des années, pour assurer qu'Anahiville ne soit point attaquée par les Espagnols. C'est à l'évidence une prise de choix.

— Moi, fier de toi, dit en français Urael en me secouant de son bras toujours sur mes épaules. Toi deviens plus brave chaque jour.

— M... merci, Urael.

Puis, après une dernière tape amicale, les guerriers me laissent seul avec ma joie triple. Triple, parce que, oui, je suis dispensé de subir le châtiment qui m'était promis ; oui, je suis davantage apprécié de mes camarades...

Et non, lors de la grande cérémonie sacrificielle, la jolie prisonnière ne sera pas immolée !

6

— Je m'appelle Margarita.

Son accent espagnol donne à sa voix une musique qui, selon moi, n'a d'égale en beauté que les airs du flageolet de Bec-de-Flûte.

— Je sais, mademoiselle.

Je dépose près d'elle l'écuelle de la bouillie des détenus. Nous sommes dans les cales d'*El Ambicioso*, là où l'on a regroupé les prisonniers. Je fais partie d'une équipe de deux douzaines de matelots qui, sous les ordres de Santiago, cinglent à bord du galion ennemi. Nous suivons le sillage de l'*Ouragan* en direction d'Anahiville.

Assise par terre dans le réduit sordide et nauséabond qui sert de cachot aux deux femmes, Margarita rayonne d'élégance et d'attrait en dépit de sa robe défraîchie, de sa coiffure négligée et de ses traits tirés.

— Je connais votre nom, car j'ai entendu la dame et le domestique le prononcer.

— Et toi ? demande-t-elle en s'efforçant de donner un tour gracieux au mouvement de sa main qui repousse une mèche de ses cheveux gras. Quel est le tien ?

— Gédéon, que je réponds en baissant les yeux et en hésitant à me redresser.

— *Niña mía*, s'interpose la femme derrière elle, *no entre en conversación con este tunante.*

— Je te présente ma duègne, *doña* Filomena, qui est aussi la cousine de mon père et ma marraine, et qui se fait du souci à me voir lier conversation avec – pardonne-lui – une « canaille ».

— Je ne m'en offusque point, mademoiselle, répliqué-je vivement en me relevant. Pour tous, l'ennemi est toujours une canaille.

Malgré l'effort évident qu'il en coûte à la jeune captive pour me renvoyer un sourire guilleret, le charme opère. Je rougis et le compliment que j'aimerais lui retourner sur son courage meurt dans ma gorge.

— Gédéon…

À sa façon de prononcer mon nom, j'ai l'impression de l'entendre pour la première fois. Il me paraît tellement plus beau. Pourquoi donc ?

— Je voudrais poursuivre cette causerie, Gédéon, insiste Margarita, mais…

De la paume de sa main blanche et d'un coup d'œil circulaire, elle désigne l'espace de sa prison.

— Mais je ne saurais t'obliger à supporter plus longtemps notre misérable cellule et l'odeur qui s'en dégage.

— Avec votre permission, mademoiselle, je vais demander à mon bosco l'autorisation de nettoyer votre plancher et de chasser les rats que les déchets attirent.

Elle me renvoie un regard pénétré de reconnaissance. Ses dix doigts se rejoignent sur ses jupes comme, chez les chrétiens, on s'apprête à rendre grâce à Dieu.

— Voilà qui démontrerait beaucoup d'humanité, Gédéon.

Elle émet ensuite un petit rire cristallin et conclut :

— Et réfuterait l'opinion de ma duègne envers les « canailles ».

— Pis mouë, ma bergère, ben, elle m'saute su' l'corps sitôt qu'j'arrive à quai. Ne riotez point, palsambleu ! Vous l'verrez quand qu'on va atterrir à Anahiville.

Et le marin parachève son affirmation avec un jet de salive qu'il crache par-dessus bord. Si on tient compte du fait que le groupe avec qui il se désennuie est assis au pied du gaillard de proue, l'expectoration relève de l'exploit.

Occupé à tirer une échelle tombée de l'écoutille voisine, j'entends l'échange entre les matelots désœuvrés qui ne me prêtent aucune attention. Ils sont une douzaine, principalement des Européens, sauf pour deux Kalinagos et un Africain.

Un second matelot blanc qui, à la manière indigène, hume des nuages de fumée à l'aide d'un petit tuyau reprend :

— Ben, la mienne de femme, ouais, elle se défend moins au lit que du temps que j'l'ai connue, – dam ! ça fait tout d'même six ans ! Mais comme elle m'a donné quatre mouflets, ben j'suppose qu'elle a l'droit de se r'poser un brin.

— Qu'est-ce que tu racontes, touë ? réplique un troisième pirate en frappant du dos de la main sur l'épaule de son compagnon. Les donzelles, elles se r'posent quand qu'on les tient dans nos bras. C'est nous qu'on fait tout l'travail.

— C'est vrai, c'est vrai ! appuie un camarade en ouvrant une grande bouche édentée vers le ciel et en se tapant sur les cuisses à force de rire.

Un seul des Kalinagos – sans doute meilleur en français – ricane avec les autres, le second se contente d'esquisser un sourire. L'Africain approuve de petits hochements de tête. Probablement ne suit-il même pas la conversation.

— N'empêche…, entame un borgne d'une trentaine d'années avec une barbe courte, mais si dense qu'elle prend naissance au sommet des joues et fusionne avec la toison sur sa poitrine. N'empêche que la mienne, après tant de jours en mer, il me tarde de la r'trouver.

— Mouë itou, soutient un fadrin de moins de vingt ans, qui était mousse à une certaine époque sur le *For God's Sake*, un brigantin sous la gouverne de Nez-en-Moins. J'me languis de ma Cléodie.

— C'est qu't'es un sentimental, réplique son voisin.

— Ou point en ménage depuis assez longtemps, complète un autre.

Le matelot rit, mais conserve une mélancolie dans le regard. L'homme au tuyau expire des nuées grisâtres comme on en trouve parfois au-dessus des boucans et dodeline de la tête avant de psalmodier à mi-voix :

— Tout de même, tout de même…

— Plus que trois ou quatre jours…, échappe un rouquin en s'étirant avec nonchalance.

— Et on les retrouvera, nos petites chéries, conclut son voisin.

— Cléodie, murmure simplement l'ancien mousse.

— Que dirais-tu si j'élisais d'être amoureux ?

Bec-de-Flûte – ou Nazareno, de son vrai nom – m'observe un instant. Je ne sais trop s'il réfléchit, car même si son regard paraît indiquer une intense activité cérébrale, il est possible que ce ne soit que le reflet de son esprit absent. Le propre des yeux de mon ami au bec-de-lièvre est souvent de donner l'illusion d'une profonde concentration, alors que derrière les fenêtres de ses pupilles, les rideaux sont tirés.

Contre toute attente, il répond :

— Un jour, N'A-Qu'Un-Œil, le bosco que tu n'as pas connu, m'a mis en garde contre le fait de tomber amoureux. Il prétendait qu'il valait mieux éviter les problèmes que ça implique.

L'accent espagnol employé par Nazareno me rappelle la voix de Margarita.

En fait, depuis deux jours, *tout* me ramène en pensées la jolie prisonnière.

— N'A-Qu'Un-Œil affirmait ça ? que je demande en constatant que Bec-de-Flûte a détourné la tête pour pencher le nez vers les œuvres-vives.

Il observe les traînées luminescentes que les deux vaisseaux, naviguant à une encablure l'un de l'autre, soulèvent en déchirant les vagues. Les flots semblent s'être transformés en flammes émeraude, plus lumineux encore que le firmament. Dans la nuit constellée, mais sans lune, le prodige prend une dimension qui relève de la sorcellerie[1].

— Il y a longtemps, finit-il par répondre. Longtemps. Toutefois, je pense qu'il était sérieux.

— Ça semble pourtant palpitant d'être amoureux, insisté-je en m'intéressant à mon tour aux sillons luisants creusés par *El Ambicioso*. Enfin, si je me fie à la façon dont en parlent les hommes, le soir quand ils

---

1. Il s'agit de plancton bioluminescent. Ce phénomène sera expliqué des siècles plus tard seulement.

s'entretiennent de leurs amies délaissées à Anahiville, quand ils…

— Oui.

Bec-de-Flûte tourne son vilain visage vers moi, mais je reste penché sur les vagues lumineuses. Il reprend :

— Oui, ça paraît palpitant, mais tu devrais demander à ton père. Il est peut-être du même avis que N'A-Qu'Un-Œil… surtout à constater combien il souffre d'avoir aimé… de *toujours aimer* ta mère.

Je repose les yeux sur Nazareno qui, gêné, craignant un mot mal placé, s'empresse de détourner les siens sur les flots, une fois de plus.

— Tu as raison, dis-je pour le rassurer. Je demanderai à mon père.

Mais, au fond de moi, je sais bien que nul – hormis le Jésuite, et encore – n'aborderait le sujet de ma mère dans une conversation avec l'impulsif Mange-Cœur sans risquer de prendre une gifle monumentale.

7

Quelque part dans la mer des Caraïbes,
15 octobre 1571

— Hé, hé! Tu as nettoyé la cellule des prisonnières?

— C'est mal?

— Non. C'est seulement… Hé, hé! Pourquoi?

— Ça puait.

— Et alors?

— Ce sont des femmes.

— Et alors?

Santiago me dévisage avec sa pupille gauche tandis que la droite est braquée sur un point quelconque au-delà de l'horizon. Au soleil, la cicatrice qui le défigure s'estompe un peu, car son teint se cuivre.

— Simple bienséance.

— Ah? Hé, hé! Bon, d'accord.

Il use d'une intonation signifiant que la conversation est terminée, mais il continue à m'observer intensément. Embarrassé, je détourne les yeux pour regarder le grand hunier. Je fixe sans les voir quelques pailles-en-queue qui tourbillonnent au sommet des mâts. Puisque ces oiseaux ne s'éloignent jamais au large, je devine que nous approchons de l'île abritant Anahiville.

— À terre, hé, hé! reprend Santiago, nous élirons quelques prisonniers qui nous paraîtront utiles à servir d'otages. Les femmes que tu as capturées rempliront fort bien cet office, consolidant plus encore nos cautions. Hé, hé!

— Je sais. Urael me l'a dit. Les Kalinagos ne les mangeront point.

— De toute façon, quel intérêt? Hé, hé! Les cérémonies cannibales permettent d'absorber les vertus d'un ennemi vaincu au combat. Les femmes ne recèlent point les qualités que nous recherchons.

— Pourquoi en tombe-t-on amoureux, alors?

Si ce n'était un frémissement de sa balafre, je n'aurais peut-être pas remarqué le subtil froncement de sourcils du bosco.

— Que sais-tu de l'amour, toi? Hé, hé!

En guise de réponse, je hausse les épaules tout en continuant à regarder les pailles-en-queue. Il me semble entendre les réflexions dans la tête du second de mon père : « Il est vrai que notre Gédéon grandit. Il est vrai que le voilà devenu un homme. Nous devrions peut-être en tenir compte, désormais. »

Ou peut-être se moque-t-il, simplement.

— Elle te plaît, la petite Espagnole? Hé, hé!

Nouveau haussement d'épaules sans répondre.

— Hé, hé ! Il faut admettre qu'elle est plutôt jolie.

— Que ferais-tu, à ma place ?

— Moi ? Hé, hé !

Je baisse le nez vers le strabique et son regard me paraît plus flou que jamais. Il se gratte le crâne en faisant une drôle de grimace.

— Moi ? répète-t-il. Je... Avec la petite Espagnole, tu veux dire ? Hé, hé !

— Elle s'appelle Margarita.

— Eh bien, moi, avec la jolie Margarita, je...

Il renifle bruyamment en faisant mine de s'intéresser à son tour aux pailles-en-queue.

— Moi, je nettoierais sa cellule, assurément.

Sa grosse main se pose sur ma clavicule pour souligner :

— Mais je n'oublierais point qu'il s'agit d'une prisonnière. Hé, hé !

8

Île d'Anahiville, 16 octobre 1571

Et v'là qu'le vent est tranquille
Et v'là qu'la mer devient d'huile
Quand sous le ciel, y a notre île!
N'a point des cents, point des mille
Des ports comme Anahiville!

C'est une tradition. Dès que paraît à l'horizon la silhouette bleutée de notre terre, les hommes entament la ritournelle qui la célèbre. Il faut avouer que, après des semaines en mer, il est toujours agréable de retrouver un sol qui ne tangue pas, un parfum autre que celui des salins et de la sentine, de l'espace pour courir, de l'eau pure à boire, des fruits sains et de la viande fraîche à manger… Il est surtout agréable de quitter cette promiscuité des gaillards et des entreponts, ce voisinage de camarades qui rotent, pètent, puent, et dont on frôle sans arrêt des parties d'anatomie qu'on préfère ignorer.

Ce qu'on constate d'abord à l'approche du chenal qui nous mène à la terre sans nom où s'abrite Anahiville, c'est la silhouette de la montagne qui en définit le centre. Avec ses deux éminences rondes de hauteurs différentes et séparées par un enfoncement du sol, on dirait une noix de cajou tombée de quelque anacardier gigantesque.

Vient ensuite la falaise, abrupte et pierreuse, marquée de trous pareils à des alvéoles, qui donne refuges et aires d'envol à des dizaines, voire des centaines de milliers d'hirondelles de mer. À son sommet, les fortifications qui gardent l'accès à l'île, percées de créneaux où pointe la gueule menaçante des canons, déchirent la voûte céleste de leurs pals en dents de scie.

Au pied de l'à-pic, un haut cordon littoral rocheux, divisé par un passage étroit mais profond, ouvre une porte pour un navire à la fois. Derrière ce brise-lames naturel, une baie, turquoise et accueillante, sous la protection des bouches à feu, place tout bateau non seulement à l'abri des attaques ennemies, mais également à couvert de la furie de la mer, quand bien même soufflerait Juracán – ou Ouragan –, le démon fou commandé par Guatauba, qui peut, en moins d'une nuit, réduire une île à néant.

Un quai, long d'une portée d'escopette et aussi large qu'un galion, prend naissance au milieu d'une plage caillouteuse et s'avance au centre de la rade. Il permet aux bâtiments de mouiller loin des hauts-fonds, à quinze brasses de profondeur, et de décharger les cales directement sur le dos des mulets et non point en transférant le butin à bord de pataches, des embarcations dédiées à cette fonction.

— C'est bon de revoir le vert des forêts.

Un Kalinago a échappé la remarque, arcbouté à une aussière, le regard sur l'île, en se parlant à lui-même.

En compagnie de Bec-de-Flûte, je suis préposé aux amarres et nous dévidons un cabestan dont le gros câble passe par les écubiers. Sur le môle, des débardeurs s'empressent de nouer les cosses à des bittes solidement ancrées dans les fonds marins.

Quand je me redresse, j'admire non pas la ramée verdoyante qui fait soupirer le Kalinago, mais la multitude de petites maisons, les unes en bois, les autres en paille, celles-là en torchis, qui abritent les familles des pirates et forment notre communauté d'Anahiville. Sur le versant de la montagne, derrière le village, des terrasses cultivées appelées « andenes » se superposent en escalier. L'idée de défricher de cette façon un sol en pente est venue d'Urael, qui l'a lui-même reprise d'une méthode inca. On y retrouve tout le maïs et tout le blé nécessaires à nos besoins.

Un peu à l'écart, sur les berges d'une rivière au bon cru, un moulin retient les aubes de son immense roue. Son meunier a suspendu la mouture et congédié ses employés pour courir se mêler aux gens de la place, un retour de rapines de l'*Ouragan* étant un moment de réjouissances.

Des fanions de toutes couleurs flottent au-dessus des toits pour nous souhaiter la bienvenue. Des femmes, des enfants, quelques vieux aussi, étourdis de joie, viennent à notre rencontre en essaimant les galets ou en s'engageant sur le môle.

Deux navires au lieu du seul *Ouragan* présagent de tout le succès de notre sortie en mer et du butin à se répartir. Que le bâtiment capturé soit, de plus, un énorme galion promet davantage de satisfaire ceux qui, parfois, à nuit fermante et sous le couvert des murmures, se plaignent des carences en douceurs que prodiguerait une colonie comme la nôtre si elle se trouvait plus près de l'Europe.

— Vois là ! me dit tout à coup Bec-de-Flûte.

De son index, il me désigne des éclaboussures à main gauche, entre deux rochers. Des enfants de dix et douze ans soulèvent de lourdes pierres au-dessus de leurs têtes avant de les balancer dans l'eau avec force.

— Un chien de mer, fait mon ami en affichant l'horrible grimace qui, chez lui, représente un sourire.

— Par Mápoya, tu as raison !

J'ai mis un moment avant de reconnaître l'aileron qui découpe les vaguelettes par intermittence.

Le requin s'est trouvé prisonnier de la rade après avoir franchi le cordon littoral et n'avoir pu regagner le chenal vers la pleine mer. Les garçonnets se hâtent d'étourdir le gros poisson de peur que celui-ci se replie vers les bas-fonds et qu'ils ne puissent plus ensuite le tuer à coups de sagaies.

Quelques pirates avec nous à bord d'*El Ambicioso* observent le spectacle un court instant en émettant deux ou trois railleries, mais ils se désintéressent rapidement des malheurs du chien de mer, trop pressés d'en finir avec les manœuvres d'amarrage et de descendre à terre retrouver les leurs. Sur la dunette de l'*Ouragan*, Mange-Cœur envoie la main à Santiago, lui-même en train de superviser nos opérations du château de poupe espagnol. Les signaux qu'ils échangent deviennent plus complexes et une salve à blanc tirée de notre galion exige la même réponse des remparts en haut de la falaise. Puis, Santiago fait signe à Bec-de-Flûte de venir le rejoindre. Je vois mon camarade hocher la tête à plusieurs reprises pendant que notre bosco lui donne des directives. Il court ensuite sous le gaillard d'avant d'où il revient avec une trompette confisquée jadis à un musicien sur un navire portugais.

Les notes que pousse mon compagnon avisent les muletiers de mener leurs bêtes sur le môle sans attendre. Les cales d'*El Ambicioso* seront transbordées sans délai dans les greniers et les abris. Pas question donc de descendre et de profiter des douceurs d'Anahiville avant plusieurs heures.

Voilà qui ne manque pas de susciter force ronchonnements autour de moi, des jurons, et même, quand passe un jeune matelot, un murmure comme un cri de douleur.

— Cléodie…

— Voilà, monsieur le marquis, ce sont les notes du bord.

— Fascinante, cette vie que vous décrivez, monsieur Sanbourg. Je m'y complais, vraiment. Et dans l'île ? Vous avez aussi des écrits ?

— Assurément. Cette pile-là, par exemple, et celle-ci… Plusieurs parmi nous savaient écrire et se plaisaient à tenir un journal… quand le papier et l'encre étaient disponibles, naturellement.

— Et les… prisonniers espagnols ? Ont-ils laissé des écrits aussi ?

— Non. Je ne crois pas qu'ils savaient lire, encore moins écrire. Peut-être ce Valdez…

— Que savez-vous d'eux ?

— Dans le réduit qui leur servait de prison, à la hauteur des fortifications, je ne pouvais connaître leurs dires et gestes. Toutefois, plus tard, au gré des conversations et du raisonnement, et avec une certaine perspicacité, dois-je admettre, j'en ai retissé la trame. Forcément, le temps écoulé depuis les événements a aussi apporté des nuances que je n'aurais sans doute pas considérées à cette époque.

— Oh, allez-y ! Contez-moi ce que vous en avez déduit.

— De nouveaux prisonniers…

L'individu qui a parlé se tient sur le bout des pieds, le visage collé contre la mince ouverture qui sert de fenêtre. La peau flasque qui pendouille sous son menton, la chair molle de ses pectoraux couverts d'une toison pouilleuse et le cuir lâche de son ventre témoignent d'un embonpoint passé que les conditions de détention ont délardé.

Trois autres hommes, accrochés aux deux lucarnes supplémentaires, commentent en grognant l'arrivée des pirates. Un cinquième camarade semble se désintéresser de la scène. Étendu sur le lit de paille qui lui sert de couche, celui-ci ne lève pas le nez de la bible qu'il parcourt en profitant de la lumière. Puisque les chandelles sont interdites aux captifs, il ne peut lire que le jour. De coutume, à cette heure-ci, les détenus sont assignés aux travaux des champs. Aujourd'hui, toutefois, excités par le retour des leurs, les habitants d'Anahiville se sont donné campos et ont confiné leurs esclaves espagnols.

« Il sera toujours temps, se dit le prisonnier silencieux, de voir les nouveaux arrivants que les pirates nous imposent comme compagnons de geôle. »

Pánfilo Valdez y Melitón est un ex-*capitán* de tercio, mandaté six ans plus tôt par le gouverneur de Cuba pour courir sus aux pirates. Il devait mener sa mission à bord de la *Santa Concepción*, propriété du capitaine Arcángel de Narvaez, son compagnon de captivité. Dès leur premier engagement, les deux Espagnols se sont frottés aux hommes de Mange-Cœur, qui leur ont fait subir une cuisante défaite.

Malgré la détention, Valdez demeure un fort bel homme, avec ses mèches denses de chevelure noire lui tombant bas sur le front. Son nez est droit comme une étrave et ses lèvres un peu sèches se trouvent largement compensées par de fines moustaches et par une barbe en pointe, toujours taillées et peignées de manière irréprochable. Toutefois, dans son visage, ce sont ses yeux qui frappent avant tout.

Ils irradient des creux sombres de ses orbites tels deux diamants glacés que traverse la lumière d'une âme aux inclinations brutales. Gris-argent dans leurs meilleurs moments, couleur de mer en furie, voire de fer de dague dans les instants de colère, les pupilles de l'Espagnol, en dépit de leur singularité et de leur magnificence, ne sont jamais agréables à croiser. Aussi Pánfilo Valdez y Melitón attire-t-il peu la sympathie.

Neveu de feu le légendaire *capitán* Luis Melitón de Navascués, lui-même ennemi des pirates et exterminateur du non moins légendaire Cape-Rouge, *don* Pánfilo, de par la branche maternelle de sa famille, a hérité plusieurs caractères de son illustre parent, notamment l'austérité et la froideur du cœur qui tiennent à distance ses compagnons de cellule et font même souvent baisser le menton à ses geôliers.

— ¡ *Pardiez!* ¡ *Son mujeres!* Ce sont des femmes !

Arcángel de Narvaez s'excite en grattant distraitement les poux de sa poitrine. Dans la promiscuité et les conditions d'hygiène sommaires du réduit, la vermine que le marin ne s'est jamais soucié de chasser s'est transmise à ses codétenus qui lui en vouent une franche et brutale rancune.

— Ôte-toi que je voie mieux, lui intime Baudilio Bares, un gradé sous les ordres de *don* Pánfilo et avec qui il entretient sans doute les meilleurs rapports de tout le groupe.

Le *sargento*, d'une main brusque, repousse *don* Arcángel afin de profiter de l'angle de sa fenêtre.

— ¡ *Caray!* s'exclame-t-il, une fois le nez collé dans l'ouverture. C'est qu'il a raison, le drôle ! Voici qu'on nous apporte deux magnifiques créatures vêtues des plus admirables étoffes espagnoles. L'une d'elles me paraît fort jeune et... et blessée, dirait-on. C'est un grand Nègre qui la porte.

— Elles... elles sont jolies ? balbutie un certain Isidro, un long dégingandé à la tignasse frisée et aux mèches enchevêtrées tel un tas de vieilles broussailles.

— Et comment ! réplique Bares. Voilà qui va nous changer des corps peinturlurés de ces maudites cannibales et des putains blanches que les pirates appellent leurs épouses !

— Ramassez votre bauge.

Quatre regards se posent sur *don* Pánfilo qui vient de se lever de sa paillasse. Bible refermée dans une main et doigts de la seconde désignant le fouillis de vieux tissus et de chaume dispersé que représentent les autres couches, il ordonne :

— Vous avez deux minutes pour bailler à ce lieu quelque allure respectable.

— Respec… ? s'étonne *don* Arcángel. Pourquoi ?

— Que subsiste-t-il de notre honneur si nous accueillons des dames de qualité – des Espagnoles *¡Pardiez!* – dans la soue qui nous sert de réduit ? Et profitez-en pour dégager cet angle, là, le plus près des fenêtres donnant sur la mer, afin que ces malheureuses puissent au mieux tirer parti du peu d'air respirable dont nous bénéficions.

Quoiqu'en maugréant à mi-voix, de Narvaez, pas plus que les trois gradés qui composent le reste des otages des pirates, n'ose protester ouvertement : les yeux d'acier du *capitán* brillent d'une rare lumière humide dans laquelle il est difficile de départager la part du caprice de celle des convenances.

Une chose est certaine, nul ne ressent l'envie de transformer cet éclat de bienséance en brasillement de mépris ou pis, en humeur violente !

Doña Filomena est relativement âgée : sans doute a-t-elle trente ans. Toutefois, sa silhouette est restée fraîche et les tics et expressions de son visage lui donnent encore des airs de jouvencelle. Sans aspirer à une aussi grande beauté que sa pupille, sans titre de naissance, *doña* Filomena n'en dégage pas moins la grâce d'une dame de qualité aux manières impeccables.

— Monsieur, vous me paraissez un hidalgo, affirme-t-elle à l'adresse de Valdez, une fois les présentations faites.

— Par ma foi, madame, je suis gentilhomme, croyez-m'en ! réplique le *capitán* en inclinant le corps d'une révérence juste ce qu'il faut de respect sans flagornerie, comme il est dû à une femme qui ne peut prétendre à la noblesse, mais de bonne famille bourgeoise et chrétienne. Je me nomme Pánfilo Valdez y Melitón et me glorifie d'être le neveu du *capitán* Luis Melitón de Navascués dont l'épée a brillé dans le Nouveau Monde.

— Je m'en remets donc à votre dignité et à votre bravoure, don Pánfilo, pour préserver mon honneur ainsi que celui de ma petite-cousine et pupille.

— Sur cette Bible, madame, j'y engage mon âme.

Mais au lieu de poser ses yeux d'acier sur le livre, Valdez tourne plutôt la tête vers de Narvaez, Bares, Isidro et un certain Rogelio. Il poursuit avec un ton qui relève autant de la sollicitation que de la menace :

— Et je suis persuadé que mes compagnons d'infortune accueillent cette responsabilité avec le même enthousiasme que moi.

— Vous m'en voyez fort apaisée, *don* Pánfilo. Surtout qu'une vingtaine d'autres prisonniers, tous de bons soldats de Sa Majesté Catholique, sont restés à bord d'*El Ambicioso*. Ceux-là sont condamnés à être mangés par les cannibales.

Bien qu'ils soient habitués à ces scènes démoniaques, les prisonniers ne peuvent s'empêcher de frissonner à l'énoncé que d'autres âmes espagnoles seront bientôt offertes aux démons indiens.

— Comment se fait-il qu'ils laissent le Nègre avec nous ? demande de Narvaez en arquant un sourcil en direction du domestique africain qui tient toujours la jeune infirme dans ses bras. D'habitude, les pirates offrent aux esclaves de rejoindre leur confrérie de forbans.

— Fidel a choisi sciemment de continuer à nous servir, monsieur, répond *doña* Filomena en levant un menton digne d'une comtesse sur l'ex-capitaine de vaisseau. Bien avant la naissance de ma filleule, il était déjà dans notre famille et les attentions qu'il a prodiguées à Margarita, surtout lorsqu'il est devenu évident que celle-ci ne marcherait jamais, en ont fait le plus dévoué des serviteurs. Inutile de préciser que son prénom lui va à merveille.

L'Africain ne daigne pas même cligner une paupière vers de Narvaez. C'est Valdez qui reprend :

— Nous vous avons dégagé céans un espace où vous pourrez installer vos couches. Vous serez près des pertuis qui nous tiennent lieu de fenêtres.

— Merci, *don* Pánfilo. Voilà une grande délicatesse.

— Sitôt que ces vaunéants de pirates voudront bien apporter la paille nécessaire à…

— Ils arrivent, *capitán*, l'interrompt Bares qui a de nouveau collé le nez à une ouverture.

— Ils sont empressés pour une fois, ricane Isidro.

— C'est ce jeune *estupido* dont le génie n'a d'égal que la bêtise…, entame Bares.

— Gédéon, qu'il s'appelle, intervient Rogelio.

À l'énoncé du prénom, Margarita frissonne dans les bras de Fidel qui, se méprenant sur son émotion, murmure pour la rassurer :

— Guère de danger, *señorita*. Ne vous faites point de souci.

— Celui-là, oui, reprend le *sargento*. Et il est accompagné de son inséparable benêt au bec-de-lièvre. Leur mulet est chargé d'autant de paille que pour dix prisonniers.

Lorsque, avec Bec-de-Flûte, j'ouvre la porte du réduit, je ne remarque pas l'attention que me porte le *capitán* Valdez. Je serais alors bien étonné des pensées que ce dernier entretient à mon intention. Il scrute mes moindres gestes, mes moindres tics, les moindres points sur lesquels se posent mes yeux…

Et aurais-je décelé cette curiosité que je n'y comprendrais miette. En effet, quel intérêt puis-je susciter chez un prisonnier de cette importance ? Qu'il veuille se saisir de moi en menaçant de me tuer si les pirates refusent de laisser les prisonniers quitter l'île ? Allons donc ! Nul n'ignore que jamais Mange-Cœur ne sacrifierait Anahiville, son Utopie inspirée de celle du grand Cape-Rouge, au bénéfice de la vie d'un otage, quand bien même il serait son fils ! On l'a bien constaté quand je me suis retrouvé otage de l'amiral Torrés ; il s'apprêtait à ordonner aux pirates de reprendre les combats. C'est Deux-Poignards qui m'a tiré du pétrin.

De toute façon, Valdez a beau river sur moi ses prunelles tranchantes comme des rapières, je ne vois que Margarita dans les bras de son serviteur.

Après avoir déchargé la paille, je propose :

— Si vous avez besoin de quoi que ce soit, *doña* Filomena, *señorita* Margarita, n'hésitez pas à me faire appeler. Mon capitaine me demande de vous aviser qu'une nouvelle cellule, voisine de celle-ci, sera construite dès demain afin de vous accommoder. Vous n'aurez point à supporter plus d'un jour ou deux la compagnie des autres prisonniers.

Doña Filomena me renvoie une expression de mépris qui jure avec le battement de cils reconnaissant de Margarita. Je sens le feu s'attaquer à mes joues, mais je me dis que, dans la pénombre du réduit, personne ne saura le remarquer. Quand je quitte la prison, je ne suis pas témoin de la mine ravie que Valdez tourne alors vers la jeune fille dans les bras de son serviteur ni des paroles qu'il lance à mi-voix sur un ton triomphant :

— Nous avons peut-être çà un moyen de fuir enfin cette île maudite !

9

Je fais en sorte de me tenir à la gauche de mon père à la même distance que, à sa droite, se trouve Berthon, le gouverneur de la forteresse : une toise virgule trois. J'ai l'impression que cette symétrie honore notre capitaine, même si je sais qu'aucun des deux hommes ne possède mes dons pour en apprécier l'harmonie.

Je calque aussi mon attitude sur la leur, c'est-à-dire que j'appuie les mains sur un merlon de la tour principale dont le parapet s'arrête au niveau des cuisses. Les remparts de la forteresse n'ont pas à être très hauts, puisqu'une éventuelle bordée venue de par-delà le cordon littoral les atteindrait difficilement. De l'enceinte, au contraire, en tirant profit de l'élévation, les bouches à feu peuvent toucher un bâtiment avant même que celui-ci soit assez près pour menacer Anahiville.

— Il a le vent pour lui.

Mange-Cœur, son visage à demi ombré par le chapeau à larges bords dont il s'est paré, ne cesse de fixer le minuscule carré blanc dans la ligne humide de l'horizon. Il précise :

— Grand largue, il sera à portée de canon avant le soir. On peut aussi le devancer en allant à sa rencontre.

Il ricane en ajoutant :

— Nous pourrions ainsi goûter les biens qu'il apporte d'Europe sans avoir à naviguer bien loin pour l'en délester.

— Il y a une autre voile vers l'est ! lance soudain Berthon en avançant le corps au-dessus du parapet. À moins qu'il s'agisse d'un nuage, mais par les cornes du diable, on ne pourra en être certains avant une bonne ampoulette ! Vous voyez, capitaine ?

Mange-Cœur cherche un moment, mais je trouve avant lui.

— Je le distingue aussi, père… capitaine, pardon !

En devoir, Mange-Cœur exige toujours que je l'interpelle par son titre. Je reprends :

— Capitaine, j'aperçois même trois… non quatre… non cinq mouchetures supplémentaires ! Mais monsieur Berthon a raison : ce pourrait être des nuages.

— Vous avez meilleure vue que moi, tous les deux, finit par abdiquer mon père. Qu'importe ! Qu'ils soient un, trois, cinq ou plus de navires encore, on dispose du feu nécessaire pour les tenir à distance.

Dans le regard qu'il me retourne, je reconnais immédiatement l'expression dont il fait usage quand c'est le maître et point le paternel qui parle :

— Assure-toi des angles des affûts et fais en sorte de pouvoir toucher ces drôles avant même qu'ils comprennent qu'une communauté existe à l'intérieur de la baie. S'ils sont plus de deux, nous ne pourrons les attaquer avec l'*Ouragan*, aussi j'aspire à les tenir loin. Je ne veux pas qu'ils puissent estimer les approches de l'île. Je transmettrai des ordres identiques à Mobango et Carabois, qui t'assisteront. Ho ! Les vigies !

D'un mouvement sec, il a arqué le dos pour s'adresser aux hommes sur la tourelle à deux toises au-dessus de nous.

— Capitaine ?

— Dès que le ou les navires se trouveront à moins d'une lieue, vous faites en sorte d'aviser Gédéon et les maîtres canonniers.

— *Ay, ay !* Capitaine !

— Si vous me permettez, monsieur le marquis, j'ai ici le procès-verbal d'une réunion tenue en ce temps-là par les autorités d'Anahiville. Les séances qui s'y déroulaient étaient d'une grande rigueur. Permettez-moi de vous en lire un extrait :

Ce dix-huit du mois d'octobre de l'an de grâce mil cinq cent soixante et onze

En un huis clos réunissant :

Lionel Sanbourg, dit Mange-Cœur, grand gouverneur d'Anahiville, cité et terres circonscrites par la mer du Pérou, dite des Antilles, et capitaine du galion Ouragan ;

Santiago (nom de famille inconnu), bosco et maître de manœuvres du galion Ouragan, maire d'Anahiville ;

Le Jésuite (prénom et nom de famille inconnus), second gouverneur d'Anahiville, lieutenant du galion Ouragan et guide spirituel de la communauté ;

Berthier de Valdoie, dit Nez-en-Moins, pilote et second maître de manœuvres du galion Ouragan, adjoint au maire d'Anahiville ;

Urael le Wayana, premier ouboutou et grand bóyé de la communauté amériquaine ;

Louis Berthon, gouverneur de la forteresse d'Anahiville ;

Louis Carabois, lieutenant-gouverneur et maître canonnier de la forteresse d'Anahiville ;

Mobango, lieutenant et maître canonnier sur le galion Ouragan ;

et

l'écrivain de la présente, soussigné Gédéon Sanbourg, maître artificier d'exception de la forteresse d'Anahi-

ville et du galion Ouragan, secrétaire du capitaine Mange-Cœur, par la volonté de Dieu qui règne au ciel et de Chemijn qui régit les îles caraïbes, en le cabinet de la demeure du gouverneur d'Anahiville, il a été dit :

— Sont-elles nobles ? s'informe Mange-Cœur.

— Si, capitaine. Ou plutôt, disons, la plus jeune seulement, hé, hé ! et à moitié par une branche de la famille maternelle, répond Santiago. Le grand-père, un marquis navarrais rongé par les dettes, incapable de payer la dot de sa fille, a dû la marier à un riche marchand aragonais ambitionnant des titres...

Le Jésuite lit sur une feuille devant lui :

— Un certain Juan Zárate, père de Margarita Zárate, dix-huit ans – c'est la fille infirme. Sa mère vient de mourir dans le Béarn. De cette dernière, elle connaît le français. La jeune femme a entrepris le voyage à la requête de son père qui espère la marier à un très riche commerçant de la Nouvelle-Espagne. Elle est accompagnée de sa marraine, Filomena Salmerón y Zárate, et d'un esclave qui a refusé la liberté pour s'occuper de ses maîtresses.

— La moitié d'une famille de nobles ruinée ! Cette otage a-t-elle assez d'importance pour prévenir d'éventuelles attaques espagnoles contre notre pays ? demande Carabois avec une expression indiquant qu'il connaît déjà la réponse à sa propre question. Non. Nous en avons débattu à plusieurs reprises, et seuls la haute noblesse et les officiers valent la peine d'être gardés en garantie de paix. Comme ces deux femmes ne peuvent même pas servir d'esclaves pour les travaux des champs, il est donc préférable de s'en débarrasser.

— Surtout si un riche marchand de Mexico a le pouvoir d'influencer l'*Audiencia*, voire le vice-roi, pour faire entreprendre une expédition militaire visant à délivrer sa fille, ajoute Mobango.

— Pour ça, il faudrait qu'on sache où la trouver, riposte le Jésuite en haussant les épaules.

— Mobango, maugrée Berthon en faisant une moue, si tu n'avais pas dormi pendant les cinq réunions précédentes, tu saurais déjà que personne ici ne craint l'éventualité d'une attaque.

— Pourquoi ne pas demander une rançon, alors? rétorque l'Africain en feignant de n'avoir pas ressenti l'ironie du gouverneur de la forteresse. On peut envoyer une lettre signée de la main de la fille, comme lorsque nous avons avisé le gouverneur de Cuba que la vie du *capitán* Valdez dépendait de son renoncement à s'attaquer à Anahiville.

— Encore là, réplique Berthon avant que nul n'ait loisir de répondre avec plus de ménagement, si tu étais attentif quand tu as le privilège d'assister à nos séances, tu saurais que les otages ne peuvent *jamais* quitter l'île. Le risque que l'un d'eux puisse la localiser avec exactitude et guider par la suite une invasion des Espagnols est…

— Mais si quelqu'un s'évade ? s'informe Carabois, les sourcils froncés. Un otage important, par exemple ? Ça aussi, c'est une éventualité. Il faut pouvoir envisager l'impossible et…

— Eux point envie courir danger être rattrapés, coupe le taciturne Urael dont la prise de parole étonne toujours. La première année, quatre prisonniers fuir travaux dans champs et voler barque avec voile. Eux rejoints. Nous manger eux devant camarades.

Le Jésuite ricane en précisant :

— Et comme les Espagnols ne craignent rien comme de voir leur cadavre dévoré par les cannibales sans la possibilité d'être enseveli dans une terre consacrée par un prêtre catholique, ils n'entreprennent rien qui exposerait leur âme à errer dans les limbes, voire en enfer, pour l'éternité.

— Quels bigots ! lance Berthon, mais en frissonnant à l'idée que lui-même ne courrait pas un risque semblable.

— De toute manière, explique Mange-Cœur, les Espagnols connaissent sans doute l'emplacement de notre île. D'autres navires, comme ceux qui approchent en ce moment et que nous dissuaderons de mouiller trop près, ont dû signaler la présence de notre forteresse au milieu des Antilles. Je crois… Nous pensons… (Il désigne Santiago, le Jésuite et Nez-en-Moins :) nous pensons que la qualité importe plus que la quantité d'otages pour nous prémunir des actions contre notre communauté. Toutefois…

Il a un signe de l'index envers Nez-en-Moins afin que celui-ci poursuive à sa place.

— Toutefois, reprend le pilote de l'*Ouragan*, il y a un seuil à respecter. Car à partir du moment où les fils-de-rien estimeront trop grande ou trop médiocre l'envergure de nos prisonniers, ils s'évertueront à nous faire disparaître.

— Et comment juger de cette… envergure, justement? demande Carabois.

— Impossible, car elle dépend de l'importance que lui accorde l'un ou l'autre des décideurs à Mexico et à Madrid, rétorque le Jésuite, sans hésiter.

— Hé, hé! ricane Santiago sans joie, comme à son habitude. On a pu constater la férocité et la fourberie de l'*adelantado* de la Floride lors de l'attaque de Fort Caroline[1]. Si Philippe II ou un exalté à la de Avilés se réveille un matin agacé par les échos de notre présence, qu'importe la qualité de ceux dont nous userons en matière de pare-feu. Anahiville aura à défendre son embouquement. Hé, hé!

— Qu'ils y viennent! grogne Mobango, le nez penché sur ses larges mains noires. Ils trouveront l'île fort bien fournie en poudre et en fer.

— Comme les quatre navires…, rétorque Mange-Cœur en s'interrompant puis en s'inclinant sur sa droite: oui, ils sont quatre, Santiago, je l'ai appris en

---

1. Voir du même auteur: *Un massacre magnifique*, Éditions Hurtubise, 2010.

entrant ici ; les sentinelles m'ont attrapé au dernier instant pour m'aviser... Comme les quatre navires, donc, repérés en début de relevée et qui seront à portée de nos batteries avant le couchant. On les repoussera avant que leurs vigies puissent juger de l'importance d'Anahiville. D'ailleurs, monsieur Berthon, en tant que gouverneur de la forteresse, je présume que vous invitez tous les membres de cette assemblée à assister au spectacle du haut des remparts ?

— Par ma foi, capitaine, ricane Berthon en se redressant, non seulement j'invite, mais palsambleu, j'offre le vin de ma réserve personnelle !

10

À titre de maître artificier d'exception, j'ai toute prérogative en ce qui concerne les tirs : angle des fûts, charge des poudres, calibre, moment de mise à feu. À dire vrai, j'ai préséance sur les maîtres canonniers eux-mêmes, Mobango et Carabois, mais sans leur titre. Le compromis existe depuis six ans, depuis l'époque où l'on a reconnu mes dispositions hors du commun pour la balistique et les estimations, mais où j'étais trop jeune pour détenir une véritable autorité.

Je présume qu'aujourd'hui, je serais digne d'être nommé « maître canonnier » avec les pleins pouvoirs et les émoluments assortis, mais cela désobligerait un brin mes deux camarades. Aussi, à quoi bon ? On m'apprécie pour mon travail…

— Tu vas te pavaner sur les remparts, Perroquet ?

Je feins de ne pas remarquer Bouche-Trou qui ressent de l'antipathie pour moi – à quel propos? Allez savoir! Pour mes maladresses sans doute – et qui ne manque jamais une occasion de me chanter pouilles.

En me contraignant à l'ignorer, toutefois, il me rappelle qu'il m'arrive de souhaiter plus de crédit de la part des pirates pour mes autres efforts, notamment lorsque j'essaie de leur démontrer que je ne suis plus un enfant, que je suis aussi valeureux, aussi… héroïque qu'eux.

Peut-être que si je détenais le titre de maître canonnier, finalement…

— Qu'en dis-tu?

Mange-Cœur s'adresse immédiatement à moi lorsqu'il me voit paraître au sommet des remparts. Tous ceux qui assistaient à la réunion de l'après-midi l'ont déjà rejoint. Le soleil, depuis une heure, a disparu derrière la noix de cajou de l'île et se disposera bientôt à toucher la mer.

Je regarde vers l'est où branlent les voiles d'une caravelle, de deux brigantins et d'un galion. Leur distance m'apparaît d'instinct, sans que j'aie réellement à y songer, et j'estime la vitesse du vent par la hauteur des vagues et la façon dont chassent trois nuages au sud-est. Je ne réponds pas immédiatement, comme pour accentuer le coefficient de difficulté de mon évaluation.

— Trente-six minutes, que je précise enfin en gardant les yeux sur les navires. La caravelle, d'abord, puis le galion, et près de deux minutes plus tard, les brigantins.

— Bien, réplique simplement Mange-Cœur.

— Si le vent ne faiblit ni ne fraîchit.

— Urael ?

Le Wayana n'hésite pas une seconde, montrant qu'il avait déjà jaugé la chose.

— Lui fraîchir. Mais point avant une heure.

— Il tournera ?

— Possible. Rhumb nord ou nord-est.

— Ils nous contourneront alors par le sud, conclut Nez-en-Moins.

— Parfait, se réjouit Santiago. Ils ne pourront prendre l'île à revers par vent debout, hé, hé ! Ils poursuivront leur route vers la Nouvelle-Espagne…

— … en se félicitant d'avoir échappé à notre feu, complète le Jésuite.

L'un émet un ricanement, l'autre une espièglerie, mais les voix restent étouffées, l'expression grave. On a beau ne courir aucun risque d'importance, trop de légèreté pourrait porter malheur. Qui sait quelles facéties les dieux et les démons, chrétiens comme amériquains, réservent à ceux qui considèrent le danger de façon trop frivole ?

— Le galion semble la nef capitane, me dit Mange-Cœur. Concentre-toi sur lui. S'il fuit, les autres suivront.

— La caravelle le devancera, capitaine.

— Alors, sur la caravelle et le galion.

Je parcours les remparts en toisant les angles des huit canons en fer de calibre douze qui pointent leur nez hors du parapet. Je détermine le point exact où le vent poussera les navires si leurs pilotes ne changent pas l'orientation du gouvernail ou des vergues d'ici à ce qu'ils soient à portée de tir. Par conséquent, je connais l'inclinaison à donner à mes bouches à feu et je sais de quelle charge je dois les bourrer pour vomir un boulet de douze livres droit sur leur tillac.

À deux pas du reste du groupe, Carabois et Mobango m'observent en silence. Sans leur rendre leur regard, mais en évitant tout de même la moindre expression de mépris, j'annonce :

— Canon numéro deux, un coin sous l'affût, à droite ; le trois, un demi-coin, à droite aussi ; le six, on enlève un demi-coin à gauche, on pivote de huit degrés à senestre ; le sept, on…

Mobango a baissé les paupières à demi pour mieux noter mentalement mes directives, Carabois, quant à lui, a les yeux fixes. Dès que j'ai terminé, ils font signe à leurs canonniers en bas de monter sur les remparts. On s'empresse d'exécuter mes consignes.

Quand les navires atteignent l'endroit précis que j'ai calculé, ils accusent tout de même douze minutes de retard. Les gabiers, à mi-chemin, ont réduit la voilure en carguant la misaine, faussant mes estimes. Enfin, je peux me tourner vers mon père qui se tient à un pas derrière moi.

— Ils sont à portée, capitaine.

— Mets-leur la volée. Le galion, n'oublie pas.

— Maîtres Carabois et Mobango…

— Paré !

— Paré !

— Feu !

Les artilleurs qui, depuis un moment, attisent en soufflant les lumignons au bout des mèches insèrent l'extrémité incandescente dans la lumière des canons. Avec une belle simultanéité, les huit bouches à feu tonnent en crachant une nuée sombre qui noircit le bleu déjà profond du jour fermant. L'éloignement est tel, l'arc des projectiles est si élevé, que le vent a le temps de chasser la fumée avant que les boulets atteignent leur cible. Nous pouvons donc les apercevoir en fin de course tandis qu'ils se précipitent sur les manœuvres.

— Peux-tu épargner vergues et voiles ? m'a demandé mon père, quinze minutes plus tôt. Je veux qu'ils puissent conserver tout leur gréement pour fuir nos entours au plus vite.

— Impossible de cette distance, ai-je répondu. Les objectifs seront trop petits. Je peux les frapper, mais suis incapable d'établir le point d'impact à moins de trois mètres.

Sur huit boulets, sept touchent leur cible…

— La poudre des gargousses au canon numéro quatre a pris l'humidité, maître Carabois !

… fracassant une vergue de la caravelle, mais sans plus de dommages dans les manœuvres. Des claires-voies d'écoutilles explosent sur le galion et je distingue au moins un homme emporté par un projectile.

Je me demande si Carabois m'a entendu ou si ses oreilles bourdonnent autant que les miennes. Puis, comme venant du fond d'un puits, je perçois sa voix :

— Canonniers au quatre, changez les gargousses ! Les autres, aux bragues ! Rechargez vos mortiers !

Avec cette portée, le mal n'est pas trop important, mais l'effet psychologique est certain. Il est facile d'imaginer la stupéfaction des marins espagnols. Sans doute se disent-ils : si on nous malmène d'aussi loin, par quel déluge de feu et avec quelle précision serons-nous reçus lorsque nous atteindrons l'entrée de la rade ?

— Ils décrochent ! Hé, hé !

— Feu !

J'ai trop envie de démontrer une fois de plus mon savoir-faire, de tirer la deuxième salve, pour m'arrêter à l'observation de Santiago. En fait, seule la caravelle brasse ses vergues. Sept nouveaux boulets partent dans un tonnerre plus retentissant encore que la première volée – à cause de nos oreilles déjà fort affectées – et touchent leur cible avec la même précision que la fois précédente.

Il n'en faut pas plus aux Espagnols pour se décider tout à fait à reprendre le large. Le galion vire lof pour lof, suivi incontinent par la caravelle qui a déjà amorcé ses manœuvres. Les deux brigantins, plus loin, se contentent de braquer le gouvernail au sud, renonçant au grand largue pour attraper le vent en poupe. Les quatre vaisseaux s'éloignent à pleine toile, traçant quatre lisérés d'écume au midi de l'île, fuyant exactement selon les prévisions de Santiago et de Nez-en-Moins.

Une main se pose sur mon épaule. J'en reconnais le poids, j'en identifie le cuivré du coin de l'œil, et il n'est point utile que je me retourne pour savoir de qui me vient cette marque d'affection.

Mon père est satisfait de moi.

11

— Navré d'avoir dû vous faire souffrir la présence des autres prisonniers un jour supplémentaire, *doña* Filomena et *señorita* Margarita, mais les charpentiers ont un peu trop fêté le retour de notre vaisseau. Votre abri sera prêt aujourd'hui.

Isidro qui, depuis le temps, à l'instar de ses compagnons de cellule, a appris le français, traduit pour moi en espagnol. La tutrice lève un nez hautain tandis que la pupille, dans les bras de son serviteur noir, me gratifie d'un regard azuré.

Cette fois, je remarque que Valdez, vaguement en retrait près de sa couche, m'observe avec une intensité qui ne lui est pas coutumière. En général, l'arrogant *capitán* feint de m'ignorer avec la plus grande désaffection. Un petit engrenage se met en branle dans mon cerveau afin de me placer sur mes gardes : que manigance-t-il ?

— Il nous est moins pénible de nous accommoder de la promiscuité d'officiers de Sa Majesté, hidalgos de surcroît, que de résider dans le voisinage de pirates.

Avec un plaisir évident, Isidro a traduit la réplique de *doña* Filomena qui passe devant moi dans un froufrou de tissus molletonneux. Je m'incline pour la saluer alors qu'elle quitte la cellule pour sortir en plein soleil. Fidel se prépare à lui emboîter le pas lorsque Margarita l'arrête en posant simplement le bout des doigts sur sa poitrine. Cette symbiose entre la maîtresse et l'esclave, cette économie de mots et de gestes pour communiquer, ne manquent pas de me rappeler la relation entre le cavalier et son cheval, quand l'habitude a façonné les réactions de l'animal aux directives les plus discrètes du coursier sur la bride ou sur ses flancs.

— Hier, Gédéon, nous avons ouï des canons, prononce-t-elle avec son accent charmant.

— En effet, mademoiselle, que je réponds en baissant les yeux, incapable de soutenir la grâce qui émane des siens, ignorant encore que c'est la hantise de ne plus la côtoyer chaque jour qui m'empêche de la contempler sans réserve.

Ingénument, je suis déjà victime du mal qui rendrait mon existence invivable si, par quelque décision de mon père et de ses seconds, on élisait de se débarrasser des prisonnières. Le poison de l'amour, bien qu'il me soit toujours méconnu, a préalablement infiltré mes veines et, peu à peu, inconsidérément, je me dispose à mourir plutôt que de ne plus goûter chaque jour la présence de la *señorita* Margarita Zárate.

— Eh bien ? Ces canons ?

— Rien de grave, mademoiselle. Je souffre d'apprendre qu'ils aient pu vous effrayer.

— Il n'en est rien, réplique-t-elle avec un petit rire.

— J'en suis soulagé.

— Nous espé… craignions seulement une invasion de l'île, rétorque-t-elle avec un sourire espiègle.

— L'île est imprenable, mademoiselle. Vos codétenus ont certainement pu vous le certifier.

— En effet.

De son seul index levé puis rabaissé, la prisonnière fait connaître au serviteur qui la porte sa volonté de suivre sa tutrice à l'extérieur du réduit. Mon nez vers le sol, je ne sais à quel instant Margarita détache son regard de moi. Quand je relève la tête, cinq mines conjuguées de haine et de raillerie m'observent fixement.

Embarrassé que l'on puisse lire aussi facilement l'émoi qui agite mon cœur, je m'efforce – sans grand succès, faut-il l'avouer – de prendre une expression sévère pour m'adresser aux captifs :

— La pause célébrant la rentrée de l'*Ouragan* est terminée, messieurs. Mes ordres sont de vous commander de rejoindre vos responsables habituels aux travaux des champs.

Je sors à mon tour du réduit pour retrouver Bec-de-Flûte et les quatre charpentiers kalinagos qui nous secondent. Ces derniers ont pour directives de parachever la cellule des femmes – et de l'Africain dont elles ont demandé à ne pas se départir. Bec-de-Flûte et moi prêtons main-forte aux Amériquains pour distribuer sur le treillis en *maho* les feuilles de palmiste qui tiendront lieu de toit à l'appentis appuyé à la prison des hommes.

Du haut de mon échelle, je peux apercevoir nos cinq otages marcher d'un pas lent en direction des *andenes*, les champs en terrasses, où ils seront pris en charge par les cultivateurs. Le *capitán* Pánfilo Valdez y Melitón, son sergent de compagnie, Baudilio Bares, le capitaine de navire Arcángel de Narvaez, et les deux *cabos* Isidro et Rogelio – dont j'ignore les patronymes – sont les uniques survivants de l'abordage de la *Santa Concepción*, six ans plus tôt.

Ils vont seuls, car en dehors de l'obligation de dormir enfermés dans leur cellule, de jour, la liberté de mouvement des détenus est assez large. En effet, comment ceux-ci pourraient-ils envisager la fuite quand il leur est impossible de quitter l'île ? D'autres avant eux ont tenté l'aventure à bord d'une barque volée, mais, rapidement rattrapés, ont connu un supplice qui a su étouffer dans l'œuf toutes futures initiatives de cette sorte.

— Ho ! Gédéon, tu rêves ?

Bec-de-Flûte, au pied de mon échelle, fatigue à tenir pour moi une brassée de longues feuilles que j'ai fonction de placer sur le treillis. Je rougis un peu, car non loin, assise dans l'herbe auprès de sa tutrice, Margarita m'observe avec amusement, une main sur sa bouche.

Je m'empare des tiges que Nazareno agite sous mon nez, sans manquer de noter que Valdez, avant de disparaître avec ses compagnons derrière un bosquet, me jette un dernier regard à la dérobée.

Il est évident qu'il est préoccupé par quelque affaire, mais je serais bien en peine de définir laquelle.

12

Île d'Anahiville, relevée du 20 octobre 1571

— Tu parles parfois de ta mère à ton père ?

— Pardieu, jamais !

J'ai répondu vivement comme si le Jésuite m'accusait de quelque incartade. Il retient un soupir puis réplique ainsi qu'il lui aurait fallu mûrir sa réflexion :

— Voilà qui est sage. Je crois qu'il ne te faut jamais lui souffler mot sur le sujet.

— Ce n'est pas à défaut de le vouloir. Cependant, je ne sais comment aborder le propos en sa présence. Son cœur est si… inaccessible. Surtout pour moi.

Nous sommes assis à la porte du temple en pierre qui sert à célébrer tant les cérémonies chrétiennes – catholiques et protestantes – que les rites païens des Kalinagos et des Africains. À Anahiville, la religion des uns admet celles des autres, et c'est pourquoi les quatre murs intérieurs du bâtiment sont ornés des icônes ou des attributs de quatre cultes distincts.

— Tu évoques trop la période la plus heureuse de son existence, dit le Jésuite à mi-voix, une période enfuie à jamais.

— Ou que je suis le fils d'un autre, le rappel continu d'une frustration. La moitié de mon sang vient de son pire ennemi et je crois qu'il ne parvient point à en faire abstraction.

— Tu ressembles trop à Anahi cependant pour qu'il ignore l'autre moitié. Tu as exactement le même sourire, ses lèvres, ses pommettes, l'arrondi de ses joues, ses paupières bridées, ses oreilles… des traits kalinagos qui ne trompent point. De ton père, à peine reconnaît-on le menton volontaire, son nez, sa tignasse un brin bouclée, mais surtout son front noble, sa plus belle qualité, je crois, car il y avait de la vaillance en lui, une valeur qu'il a conservée même face aux cannibales, à l'instant d'être tué et mangé.

Je déplace une fesse qui s'engourdit sur les marches de pierre et perds mon regard dans l'observation des poules qui courent dans l'enclos voisin. Du coin de l'œil, je vois les mains du Jésuite posées contre sa bure sur ses genoux. Ses doigts se croisent et s'entrecroisent, agités par la nervosité que lui cause le sujet de notre conversation. Je demande :

— Mon père… je veux dire, celui qui, pour moi, est mon *vrai* père, le capitaine Lionel Sanbourg dit Mange-Cœur, mon père, donc, a-t-il tant souffert de la perte de ma mère ? Au point que le fils même de cet ancien amour ne puisse s'informer d'elle ?

— Non seulement en a-t-il beaucoup souffert, mais il en souffre toujours.

J'abandonne les poules pour regarder l'ancien moine, défroqué et excommunié, ancien prisonnier des Espagnols pour crimes contre nature, et il me semble que cette simple discussion le vieillit. Sa couronne de cheveux chatoie de reflets argentés qui, pourtant, doivent la lustrer depuis longtemps. Ce n'est pas la première fois que je constate qu'il suffit d'avoir une chose continûment sous les yeux pour ne point la remarquer.

Dans un soupir, j'échappe :

— Ainsi donc, N'A-Qu'Un-Œil avait raison…

Le Jésuite fronce ses étroits sourcils dans ma direction.

— Que sais-tu des pensées de N'A-Qu'Un-Œil, toi ? Tu n'étais qu'un nourrisson à sa mort.

— Bec-de-Flûte m'a appris que ton vieux compagnon prétendait qu'il valait mieux éviter de s'éprendre de quelque fille.

Les paupières du Jésuite s'abaissent à demi – oh, un très bref instant ! – comme sous la caresse d'un souvenir trop doux, puis s'agitent – tout aussi brièvement – sous le rappel d'une vive douleur. Une seconde plus tard, ses yeux reprennent leur contenance habituelle.

— Il n'avait pas tort, ce brave bosco. L'amour est une sale épreuve.

— Épreuve ?

— Parce que ça finit toujours mal.

— Pas toujours, quand même. Il arrive…

— Toujours, me coupe-t-il.

Sa main sur mon épaule me dissuade d'insister. J'ai l'impression qu'il va me faire une confidence, mais les mots meurent sur ses lèvres entrouvertes tandis que ses prunelles fixent l'horizon.

— Une blessure d'amour ne guérit jamais tout à fait, reprend-il après un long moment. Un an après, ou cinq ans, ou dix, ou seize, il subsiste au creux de ton ventre comme un abîme que tu t'efforces de combler du souvenir de l'autre !

Sa lèvre inférieure tremblote quand il poursuit :

— Dieu sait que je n'aime point les femmes comme un homme se doit de les aimer. Toutefois, ce que je te dis est valable aussi d'un homme à un homme. L'amour qui vient du cœur, très différent de celui de l'entre-jambe, cet amour-là, quand il se brise, ne guérit jamais ! Crois-m'en, Gédéon.

Il repose de nouveau son regard dans la vapeur de l'horizon et conclut :

— La blessure laissée à ton père par la mort de ta mère ne se fermera point. Ne va pas en aviver la brû-lure par quelque vulgaire curiosité.

Et il m'abandonne sans plus un mot pour entrer dans le temple, pressé soudain de retrouver sa propre solitude. Les ruminements qui, dès lors, agitent mon esprit concernent moins ma mère, mon père ou mes émotions touchant la *señorita* Margarita Zárate. Je me demande plutôt ce qui a pu, voilà bien longtemps, creuser l'abîme dans le ventre du Jésuite.

À mi-pente du sentier qui mène à la forteresse, là où un tronc de jacaranda a été scié sur sa longueur et installé sur des souches pour servir de banc, Fidel dépose *señorita* Margarita. Autour d'elle, ses jupes s'étendent en un débordement d'étoffes souples mais sombres, emblématiques de la rigidité des mœurs espagnoles.

L'Africain se retire ensuite à dix pas, juste ce qu'il faut pour assurer une veille discrète tout en pouvant répondre avec célérité au moindre désir de sa maîtresse. *Doña* Filomena, plus tôt, quoiqu'elle m'ait jeté un regard incendiaire, ne s'est pas opposée à ce que sa pupille m'accompagne dans cette promenade vespérale. D'ailleurs, par une trouée de feuillage et un caprice du terrain, elle peut nous entrapercevoir par la porte que j'ai laissée ouverte.

En face de Margarita et moi, une lune pleine émiette son reflet dans le remuement modéré des vagues. Leur fracas contre le cordon littoral et sur la plage en contrebas se confond à la rumeur du village – invisible derrière la futaie – et aux bruissements de la forêt qui nous surplombe.

La jeune fille n'a pas descellé la bouche depuis que je lui ai proposé ma compagnie, mais devant mon propre mutisme – dû à la timidité –, elle demande enfin :

— Tu as autorité pour me permettre de profiter de cette soirée hors de la prison ?

— Bien sûr, mademoiselle. Les anciens otages sont confinés derrière un cadenas, mais pas vous. Nous savons que vous ne pouvez fuir.

Je n'ai pas encore osé la regarder directement ; toutefois, dans le froissement des tissus de sa robe, je reconnais une réaction un peu vive. Aussitôt, je prends conscience de l'ambiguïté que soulève ma réplique et, afin d'éviter qu'elle suppose que je fais allusion à son infirmité, je m'empresse de préciser :

— Où iriez-vous, deux femmes et un esclave, sinon vous enfoncer au cœur de l'île au milieu des serpents et des bêtes sauvages ? Nous vous savons suffisamment sages pour ne point tenter semblable aventure.

Je tourne enfin mon visage vers elle et constate avec soulagement qu'elle ne semble pas m'en vouloir.

— Assieds-toi, dit-elle en posant une main sur le banc, à sa droite.

Je ne demande pas mieux, mais hésite tout de même en jetant un regard en direction de *doña* Filomena, plus haut. Dans le rectangle de pénombre qu'est la porte, je n'arrive pas à la distinguer, cependant je peux aisément me figurer ses prunelles de duègne qui, de l'intérieur de l'appentis, épient mes moindres gestes.

Je prends place aux côtés de Margarita en prenant soin de ne pas toucher le tissu de sa robe qui délimite une sorte de frontière autour d'elle, un territoire inter-dit. La brise m'en amène un parfum de vieil ambre gris, un effluve entêté qui m'enivre ainsi que l'*ouicou* le plus fort.

— Quel âge as-tu, Gédéon ?

— Seize ans, mademoiselle.

— J'en ai dix-huit.

— Et vous me trouvez bien jeune, pas vrai ?

L'ivoire de son sourire exalte davantage la nacre de ses iris pâles qui brillent telles deux lunes supplémentaires. De peu, on se les figurerait comme la source radieuse baignant la frondaison et les pierres autour.

— En vérité, me répond-elle. Toutefois, rien ne m'interdit de préférer la compagnie d'un garçon de seize ans dont les qualités me paraissent supérieures à celles d'un prétentieux de vingt.

Et son rire de cristal est comme la musique accompagnant un poème qu'on récite.

— Vous m'en voyez… ravi, mademoiselle, que je réplique en hésitant sur les mots, balbutiant presque.

C'est que mon cœur s'est emballé et, piètre cavalier, j'ai peine à en reprendre la bride.

— Je suis promise, Gédéon, le savais-tu ? Mon père veut me marier à un riche bourgeois de Mexico.

— Je sais, mademoiselle, mais je vous remercie de la franchise dont vous faites preuve et de la confidence dont vous m'honorez.

Elle plisse le nez dans une plaisante mimique de dégoût pour préciser :

— Je n'ai point encore rencontré mon futur époux, mais on le dit presque quinquagénaire.

— Ce serait une honte, mademoiselle, qu'une jolie fille comme vous…

Je m'interromps abruptement, craignant tout à coup que ma réflexion soit déplacée.

— Tu me trouves jolie ? demande-t-elle en inclinant le menton d'un air candide – mais je ne suis pas dupe ; je sais bien que c'est là un artifice de femme pour séduire. Je l'ai déjà éprouvé chez les serveuses de la taverne.

— Sur mon âme, mademoiselle. Et l'homme qui vous est promis connaît bien du malheur.

— Du malheur ?

— Oui, car celui-ci ne pourra jamais se prévaloir des épousailles à votre bras.

Une mince ligne soucieuse naît entre ses sourcils. Un soupçon de tremblotement agite ses lèvres quand elle s'informe :

— Je suis donc condamnée à demeurer sur cette île de pirates ? N'y aura-t-il pas une rançon demandée à mon père ?

— Je ne le pense pas, mademoiselle. Je crois qu'on vous gardera parmi nous… Oh, point comme esclave, je vous rassure ; point comme les hommes ! On vous gardera, dis-je, dans une habitation, sans doute un peu plus digne que celle que vous partagez en ce moment avec votre marraine, et vous aurez toute liberté de vous mêler aux villageois d'Anahiville. Je me ferai un plaisir de… d'être votre ami, votre soutien…

— M'aimerais-tu, coquin ?

La ligne soucieuse s'est déjà évanouie et son intervention m'interrompt avec plus d'efficacité que si la foudre m'avait frappé. Sa franchise, presque brutale, me fait craindre un instant une raillerie, voire du mépris. Mais à sa façon d'avoir incliné le nez vers moi, à ses paupières resserrées contre les lunes de ses iris, à ses lèvres moites comme la drupe juteuse des cerises mûres, je réalise que sa question relève d'un intérêt authentique et non de quelque provocation. Avant de répondre, je m'assure de déglutir avec soin pour humecter ma gorge sèche.

— Je le crois, oui. À tout le moins, je m'interroge sur le trouble que votre voisinage cause à mon cœur.

— J'en suis aise, Gédéon, réplique-t-elle en se redressant un brin, soulagée dirait-on d'une alarme soudaine, d'un vertige. Mais tu n'es point aveugle. Si mon père a cru bon de me promettre à un homme plus vieux que lui-même, c'est que mon état…

De la paume de sa main, mais sans me quitter des yeux, elle trace un arc de cercle au-dessus de ses jupes, là où doivent reposer ses jambes. Elle reprend :

— Mon état ne peut me faire aspirer à un meilleur parti, plus jeune, plus beau, un parti à la recherche d'une femme dont il serait fier, qu'il pourrait exhiber dans les réceptions, avec qui il danserait, se promènerait, une femme qui saurait être une vraie mère pour ses enfants, pourrait jouer avec eux, les amener au jardin… Enfin, bref…

Les deux lunes minuscules se posent sur moi pour conclure :

— Pas une infirme.

Dans la rosée ténue qui mouille son regard, je ne décèle rien qu'un émoi pur et spontané, une émotivité insoumise dont les remous oscillent entre l'espérance et le désarroi.

— Quiconque écoute son cœur au lieu de ses yeux, mademoiselle, ne voit point en vous une infirme, mais un ange que le ciel, par mégarde, a laissé tomber.

Distinctement, une larme enjambe sa paupière droite, prête à se répandre sur sa joue. Je ne trouve plus les mots pour m'excuser de l'avoir émue à ce point et, à la fois, pour la consoler. Elle-même, bouche entrouverte, s'inspire de ma nigauderie et s'enferme dans le mutisme.

Nous restons là, deux âmes cahotées d'émois, deux poitrines enflées de plus d'amour qu'une grand-voile de vent, s'interdisant de briser la magie du moment, et puis trop bêtes sans doute pour inventer un ton qui renouerait le dialogue de manière convenable.

Impulsivement, Margarita me tend ses deux mains. Sans plus réfléchir, je les saisis dans les miennes et les porte à mes lèvres. Je les baise longuement, paupières closes, en humant à grandes inspirations son parfum délicat de vieil ambre gris.

La lune est haute dans le ciel lorsque j'observe Fidel reprendre sa jeune maîtresse dans ses bras. Tandis qu'il la ramène dans ses quartiers auprès de *doña* Filomena, je m'émeus à voir flotter de chaque côté de lui les pans de la robe de ma bien-aimée. J'attends que la porte se soit refermée sur eux avant de m'ébranler enfin en direction de la maison que je partage dans le village avec le Jésuite, Bec-de-Flûte et Deux-Poignards.

Ce que je n'apprendrai que longtemps, très longtemps après, est que, au moment où l'Africain dépose son léger fardeau sur sa couche le long du mur donnant sur le réduit des hommes, la voix de Valdez, dans un murmure, se fait entendre entre deux planches :

— Bien joué, *señorita*.

13

Forteresse de l'île d'Anahiville, 4 novembre 1571

— À quelle décision en êtes-vous venus ?

Mange-Cœur ne regarde personne. Du bout des doigts, il corne distraitement l'extrémité d'un rouleau de parchemin entre ses mains.

L'audience, comme de coutume, rassemble les principaux dirigeants d'Anahiville. Seul Mobango est absent, appelé auprès de son frère malade. Je me tiens en retrait, à ma place habituelle, pour noter les interventions et établir par la suite le procès-verbal.

— Les prisonnières ne peuvent servir d'otages, réplique Nez-en-Moins. Leur valeur a été estimée trop faible en regard des dangers encourus.

Je fais un pâté sur la feuille de palmiste qui me tient lieu de papier. Plume d'escarcelle immobilisée à un doigt au-dessus du texte, je retiens mon souffle.

— Ni ne peuvent être sacrifiées à Chemíjn dans un rituel cannibale, ajoute le Jésuite.

— Or donc ?

Si je n'écris plus, je risque de perdre le fil de la discussion. Je m'empresse d'éponger la bavochure avec une boulette de coton, mais le suc de génipa qui me sert d'encre s'étend sur la ligne précédente, maculant plus encore ma feuille.

Pendant que je cherche un autre coussinet absorbant dans le carton à mes pieds, la voix de Berthon s'élève :

— On peut en faire des prostituées esclaves.

Je me redresse vivement, sans boulette. Comme je suis en retrait, personne ne remarque mon trouble.

— Quelle idée ! proteste Nez-en-Moins. L'une d'elles est infirme. Qui en aurait envie ? La deuxième, à la rigueur…

Je sens une moiteur froide s'attaquer à mes tempes. Cela ressemble à de la peur, mais je sais qu'il n'en est rien. C'est plutôt de la colère mêlée de honte. Colère que l'on puisse mépriser Margarita, honte à la pensée d'être dépravé – car peut-on ressentir de l'amour pour une infirme ? –, colère qu'on ignore encore à quel point j'en suis épris, honte de n'avoir pas le courage de le crier à l'assemblée.

— La dernière fois, hé, hé ! que nous avons ramené des captives, entame Santiago, les porte-parole du Regroupement des épouses de l'île se sont plaintes de notre intention d'augmenter le nombre de prostituées. Aussi, pour les deux prisonnières actuelles, ont-elles plaidé pour une exécution pure et simple. Hé, hé !

— Les femmes n'ont point droit d'assister à nos réunions, maugrée Carabois, donc leur opinion ne compte pas.

— Faux ! Vois l'article XI du *Code de lois d'Anahiville*, hé, hé ! De toute façon, capitaine, permettez-moi…

Santiago se penche sur la table pour tendre un rouleau à mon père. Il poursuit :

— Voici une pétition en bonne et due forme.

Ma gorge est plus sèche encore que l'embout de ma plume qui a tout à fait cessé de courir sur le papier. Je note que le Jésuite me jette de brefs regards à la dérobée.

— Nos règles en matière d'échafaud pour les prisonniers, qu'ils soient mangés ou non par les Kalinagos, ne concernent point les femmes, insiste Carabois. Notre bourreau n'est point tenu…

— Le Regroupement a offert de proposer son propre exécuteur des hautes œuvres – une femme – pour accomplir les mises à mort, hé, hé !

Mon père a un soupir en haussant les épaules. Il demande :

— Et le Nègre ? Pas question de la hart pour celui-là. Au contraire, j'aimerais bien l'intégrer dans l'équipage.

— Il serait une excellente recrue, à n'en pas douter, approuve Nez-en-Moins.

— Raison de plus de se débarrasser de ses maîtresses, renchérit Carabois.

— Il faudra passer au vote, confirme Mange-Cœur. Et nous n'avons point quorum puisqu'il manque Mobango.

— Formalité, réplique Berthon. Nous pourrons rediscuter du point à la prochaine séance.

— Fort bien.

Ma plume se remet à courir sur le papier, mais mon cerveau ne s'attache pas aux mots que j'écris. Une seule pensée a envahi ma tête : la réunion suivante décidera du sort des captives… et Margarita risque d'être condamnée à mort.

14

Anahiville, 5 novembre 1571

Nazareno, entravé par une large gourde sur l'épaule, arcbouté à deux mains sur les rênes d'un âne, s'escrime à convaincre l'animal de s'attaquer à la pente. L'outre glisse sans arrêt jusqu'à son coude, brisant les impulsions de mon ami sur le bridon.

— Tu as des problèmes, Bec-de-Flûte? C'est la bourrique du père Tilleul, non?

— Et la sale carne refuse de me suivre, réplique le jeune homme en parlant bien sûr de la bête et non de son propriétaire.

Le front en sueur, des marques rouges là où frotte le récipient, Nazareno poursuit :

— J'apporte des planches à la forteresse et j'ai cette eau à distribuer aux prisonniers dans les champs et…

— Ça t'aiderait de déposer la gourde sur tes ais en laissant l'âne chargé de tout.

Bec-de-Flûte m'observe fixement pendant au moins deux secondes. Il n'y avait pas pensé. Je reprends :

— Bon, donne-la-moi, cette eau, je vais porter à boire aux esclaves à ta place. Contente-toi de convaincre cette bourrique de monter son fardeau aux remparts.

Avec une expression reconnaissante, mon ami me remet la gourde. Je désigne la tige d'un arbuste le long du sentier :

— Fabrique-toi une cravache.

Outre en bandoulière, j'entreprends l'ascension des escaliers de pierre qui grimpent le long des *andenes*. Derrière moi, j'entends les ahans et les claquements de Bec-de-Flûte qui s'attaque aux flancs de l'âne avec sa badine improvisée.

À mesure que je gagne en hauteur, je peux apercevoir, en direction des remparts, les bâtiments servant de geôle. Avec une certaine émotion et bien que, de cette distance, elles soient réduites à deux points, je reconnais les couleurs sombres des robes de Margarita et de sa duègne.

Dès ce soir, je dois parler à mon père. Il doit user de son influence sur le Conseil d'Anahiville afin d'éviter l'exécution des prisonnières.

— C'est une bien petite île ; tout se sait.

Valdez boit à même la gourde en me fixant de son regard d'acier. Une couche luisante de sueur redessine les courbes de sa poitrine nue. Sa chemise repose sur les herbes à quatre pas, non loin de sa pelle fichée en terre.

— Ils vont tuer les deux femmes et c'est une bien grande honte.

Lui aussi parle français avec le même accent que Margarita. Je n'avais jamais prêté attention à sa prononciation étrangère jusqu'à maintenant.

— Rien n'est décidé, que je réplique en m'obligeant à ignorer la dureté de ses prunelles. Il y aura un vote.

Valdez échappe un petit rire et boit une seconde gorgée. Je détourne la tête pour feindre de m'intéresser aux quatre autres esclaves qui bêchent, quarante marches plus haut.

— Chacun en connaît déjà l'issue, émet le *capitán* en me redonnant la gourde. On mettra à mort deux dames honorables qui, pour toute faute, ne peuvent que reconnaître être espagnoles et catholiques.

— Les pratiques d'une religion ne sont jamais une faute à Anahiville.

— Mais être espagnol, si.

Je replace le bouchon en liège sur le bec de l'outre, mais ne me décide pas encore à tourner le dos à Valdez. J'essaie plutôt de le contredire.

— Nazareno, Santiago et plusieurs autres sont espagnols. Pourtant, ils sont des nôtres. Ils…

— Des renégats.

— Ce n'est pas un tort de renoncer à son appartenance si on répond à un objectif plus noble. L'Utopie du capitaine Mange-Cœur semble leur convenir mieux que des révérences au roi de Castille.

Le *capitán* me pénètre plus profondément de ses iris de fer et je soutiens son regard de longues secondes, rien que pour affirmer que je ne suis pas impressionné. Cependant, plus irrité que troublé, je finis par détourner la tête en direction des autres otages. Je me prépare à monter les degrés quand la voix de l'officier m'arrête.

— Parlons de toi.

Je m'immobilise pour le considérer de nouveau, étonné.

— Plaît-il ?

— Ne ressens-tu point une grande… amitié pour la *señorita* Margarita ?

— Cela ne vous concerne point.

— Peut-être, si.

— À quel titre ?

— D'abord, à titre de compatriote de la *señorita*, ensuite, de par la foi – la vraie foi – que nous partageons, enfin, à cause de l'affection naturelle qu'il m'est loisible de lui témoigner attendu que je courtise discrètement *doña* Filomena, que cette dernière n'est point insensible à mes avances, et que si nous étions libres, cette charmante dame deviendrait mon épouse et Margarita, ma pupille.

— Vous et *doña* Filomena… ?

— Pourquoi pas ?

Je ne m'y étais pas arrêté, mais pourquoi pas, en effet ? Pánfilo Valdez y Melitón est froid et hautain, mais il a fort belle apparence et, pour une femme de bonne famille, au vu de sa naissance, il représente un parti intéressant.

— Allons, ne me cache rien, insiste Valdez. Je n'ignore point la cour assidue et polie dont tu privilégies Margarita soir après soir, et je n'ignore point non plus qu'elle y répond favorablement. Je n'ai guère à dire pour m'y opposer, car je ne suis pas encore le tuteur de la demoiselle; d'ailleurs, je ne le serai sans doute jamais puisque les probabilités que *doña* Filomena et moi retrouvions les nôtres...

Il laisse sa phrase en suspens en faisant une moue pour bien signifier le mince potentiel d'une telle perspective. Je me prépare de nouveau à m'ébranler quand Valdez me retient par le bras.

— Sois sincère avec moi, Gédéon...

Mon prénom prononcé par le *capitán* pour la toute première fois – du moins, de mémoire – me procure une étrange impression. Comme si le fait que j'en goûte la sonorité signifiait que j'acceptais une forme de pacte avec lui.

— Qu'arrivera-t-il une fois prononcé l'arrêt définitif de l'exécution des captives? Toi et moi perdrons la femme que nous aimons. Y survivras-tu? Dis, pourras-tu continuer à vivre sereinement au milieu de ceux – et surtout de celles – qui seront responsables de la perte de ta bien-aimée? de ta déchirure? du mal qui te dévorera le cœur à chaque minute de ta vie? qui te privera de sommeil? Comment pourras-tu exister,

Gédéon, en sachant que tu n'as rien fait pour prévenir la mort de celle à qui Dieu a destiné ton âme ?

— Lâchez-moi !

Je monte les marches de pierre pour m'éloigner de lui, mais ne peux empêcher la voix de Valdez de me harceler :

— Comment ? Comment pourras-tu vivre, Gédéon ?

15

Anahiville, soirée du 5 novembre 1571

— Père, j'ai une faveur à vous demander.

Mange-Cœur est assis seul à la table de sa maison. Peut-être parce que, lorsque je suis invité, de nombreux convives m'accompagnent, ce soir-là, je le trouve bien petit et bien triste dans l'immensité de sa demeure. Le silence qui environne sa propriété retirée du village contribue à amplifier cette sensation.

— Ce doit être une faveur bien particulière, émet le capitaine, pour que tu élises de convaincre mes domestiques d'interrompre mon repas.

— Particulière et urgente, père.

— Urgente ?

Il lève les sourcils exagérément et penche la tête dans une mimique conviant à donner plus de précisions. Les manches bouffantes de sa chemise satinée chatoient un instant quand il pose les coudes sur la table. Il prend la coupe dans laquelle un serviteur vient de verser le vin d'une carafe et la porte à ses lèvres en attendant que je réplique.

— Urgente, car demain je n'aurai peut-être plus le courage de m'adresser à vous.

— Voilà une franchise dont je ne suis point certain d'apprécier l'allusion. Déjà que je subis un fils maladroit, devrai-je également le reconnaître timoré, voire poltron ?

— Mes insistances pour participer activement aux combats ont dû déjà vous convaincre du contraire.

— Bon, qu'as-tu à solliciter ?

— Père, je vous demande d'épargner la vie des deux captives, la *señorita* Margarita et sa duègne, *doña* Filomena.

Il fronce les sourcils, piqué de curiosité davantage qu'aigri par mon audace.

— En quel honneur ?

— Père, j'aime mademoiselle Margarita et je voudrais votre consentement pour l'épouser.

— L'infirme ?

Malgré lui, il a échappé une note de dédain, aussi s'empresse-t-il de chasser toute expression de ses traits pouvant trahir de nouveau les sentiments qu'il ressent envers ma sélection.

— Celle qui ne peut marcher, en effet.

Il me fixe sans broncher et il m'est maintenant impossible – résolument impossible – de lire la plus minuscule émotion dans le miel de ses iris. Je feins de soutenir son regard, mais en réalité je m'attarde à la ligne de ses longs cheveux peignés vers l'arrière et rattachés en natte à la manière amériquaine ; j'admire la netteté de son visage que j'aperçois de trois quarts, son front lisse, le dessin parfait de sa pommette, son nez équilibré, sa barbe duveteuse… Même ses deux cicatrices me semblent de la plus belle harmonie avec le reste de ses traits.

— Margarita Zárate et sa tutrice Filomena Salmerón y Zárate seront exécutées, soutient-il enfin.

— Mais sous quelles condamnations ?

— Parce qu'il ne nous est point possible de les renvoyer en Nouvelle-Espagne sans courir le risque qu'elles servent ensuite de guides à une troupe espagnole mandatée pour éradiquer Anahiville.

— Alors, gardons-les avec nous.

— À quel titre ?

— Mademoiselle Margarita en tant que ma fiancée et *doña* Filomena comme esclave.

— Le Regroupement des épouses de l'île s'oppose d'avance à toute initiative de cette sorte.

— Rembarrez ces mouquères !

— Tu parles des conjointes honorables de tes compagnons : Philibert, Santiago, Carabois, Berthon, Mobango, N'Délé, Bouche-Trou et tous les autres. Garde-toi de les offenser.

— Enfin, père, vous êtes le capitaine ! Le commandant de…

— Je ne suis pas le seul maître d'Anahiville, Gédéon. Quand je ne suis pas à bord de l'*Ouragan*, ma voix ne sert qu'à présider les réunions, mais la décision va à la majorité. Nous sommes une colonie civilisée !

— Soit. Toutefois…

— Le Conseil – sans doute à l'unanimité – votera en faveur de la requête du Regroupement des épouses de l'île. Les femmes exigent la mort des prisonnières, nous les contenterons.

Je reste paralysé de rage, d'impuissance – de honte presque – face à cet homme qui détient une autorité indiscutable sur ses subordonnés et sur tous les autres habitants de l'île, nimbé de l'aura d'un souverain, vénéré, quasi idolâtré, et qui refuse d'user de son pouvoir pour épargner deux innocentes.

— Je vous le demande une dernière fois, père, non seulement à titre de fils adoptif, de membre d'équipage, de maître artificier d'exception et de plus fidèle défenseur des lois de notre communauté, je vous le demande aussi à titre de fils d'Anahi, cette femme dont le souvenir vous obnubile, qui endigue vos pensées depuis seize ans, cette femme qui m'a donné la vie et dont le sang, pour moitié, court dans mes veines.

Si les traits de Lionel Sanbourg dit Mange-Cœur restent figés pareils à la pierre du chemin, sans tic, sans émotion aucune, je distingue fort bien, dans la lumière des bougies, la mouillure nouvelle qui baigne ses pupilles. Sa voix tremblote vaguement quand il répète :

— Je ne suis point l'unique maître d'Anahiville et je sacrifierai, à la fois, mon bonheur et celui de n'importe lequel de mes hommes pour ne point en trahir les principes. Dès que le Conseil, à la suite de la recommandation du Regroupement des épouses de l'île, aura voté la mort des deux prisonnières, elles seront pendues. Puisque tu n'as pas encore droit de siéger au Conseil pour t'opposer à la motion, à toi de cabaler auprès des différents membres pour les convaincre de ta position. Et je t'avise d'avance que, en ce qui a trait à ma propre résolution, j'appuierai la requête des épouses d'Anahiville.

Pour exprimer ma consternation, je ne sais trouver rien de plus qu'un léger mouvement de tête de gauche à droite, de droite à gauche… La voix de mon père, pourtant un ton plus bas, me paraît aboyer tel le plus meurtrier des mastiffs lorsqu'il émet, à mi-voix :

— Maintenant, sors avant que je mange froid !

16

Forteresse d'Anahiville,
soirée du 6 novembre 1571

— Le vote tombera demain soir.

— Et tu crois qu'on nous graciera ?

Je suis debout devant Margarita. Fidel, comme à son habitude, silencieux et l'œil froid, la porte dans ses bras. Nous nous trouvons à l'entrée du quartier des prisonnières. Par l'embrasure, je distingue *doña* Filomena qui m'observe d'un air suspicieux.

— Je le crois. J'ai commencé à rencontrer chacun des membres du Conseil et on me prête une oreille favorable.

En fait, si j'ai bien présenté personnellement ma requête à Berthon, Carabois, Nez-en-Moins et Mobango, aucun, en dépit de ses belles paroles, ne m'a laissé de doute sur son vote en faveur de la décision du Regroupement des épouses de l'île.

— Tu mens.

La réplique est venue de la fenêtre en forme de meurtrière de la prison des hommes. C'est la voix du *capitán* Valdez.

— Qu'en savez-vous ? que je lance au rectangle sombre derrière lequel ne se distinguent que les ténèbres.

— Tout dans ton attitude, tes traits, ton expression, ton intonation, l'indique. Tu n'ignores point que la *señora* et sa tutrice seront mises à mort.

Du coin de l'œil, je note le frémissement qui parcourt le corps de Margarita. Elle passe les mains sur ses bras comme pour en chasser les frissons.

— Ne me ménage point, Gédéon, émet-elle à mi-voix. Je préfère connaître la vérité plutôt qu'un doux mensonge. Dis-moi sincèrement si tu crois que les pirates nous épargneront ou nous exécuteront.

— Je crois…

Mais ma voix s'étrangle, incapable de prononcer les mots funèbres qui accompagnent la réalité.

Devant l'évidence de ce que je ne peux admettre, Margarita se mord les lèvres. D'un geste presque imperceptible des doigts, elle fait un signe à Fidel qui tourne les talons et l'entraîne à l'intérieur de l'appentis. Le regard de *doña* Filomena troque la défiance pour la terreur.

— Il est manifeste, Gédéon, que tu n'es point des pirates d'Anahiville.

Je détourne les yeux des deux femmes pour les porter de nouveau vers la fenêtre des hommes.

— Pourquoi dites-vous… ?

— Il suffit d'entendre l'émotion briser ta voix, m'interrompt Valdez, pour comprendre à quel point est profond ton attachement à la cause de nos compatriotes espagnoles.

Je m'interroge sur le sens qu'il donne au mot « nos », s'il s'enhardit à m'y inclure, et avant même que je m'en informe pour éventuellement m'y opposer, il répond à la question que je n'ai pas posée.

— Tu es des nôtres, Gédéon. Nul céans n'ignore de qui tu es réellement le fils. Je te l'ai dit, il s'agit d'une petite île et, après six ans, on connaît tout de chacun. Ton véritable père n'est point Lionel Sanbourg, le terrible Mange-Cœur, Gédéon, ton véritable père…

— … est le capitaine de l'*Ouragan* !

— Ton véritable père est le *teniente* Joaquín Rato, qui aima ta mère autant que le pirate Mange-Cœur ; Joaquín Rato, un pur officier espagnol, brave et vertueux, qui partagea la couche d'Anahi bien avant le Français. Peux-tu nier l'évidence, Gédéon ? Ce que tu cherches en Sanbourg n'est que l'homme dont ta mère était amoureuse, pas ton géniteur. Ton vrai parent, tu le connais, oh que si, tu le connais ! Son sang espagnol – ton sang, garçon – baigne ta ferveur et alimente ton souffle.

— Vous ne…

— Générosité de cœur et noblesse d'âme ne trompent point : tu fais partie des nôtres, Gédéon. Le Dieu de tes aïeuls espagnols ne consent pas à te perdre aux mains des hérétiques et des païens. Pourquoi donc es-tu l'unique sur cette île à vouloir préserver la vie de deux captives innocentes? Parce que, malgré toi, tu ressens la déchirure de tes racines, l'effondrement de l'assise même de ton origine. Tu es espagnol, Gédéon, comme Margarita, et ta seule option pour apaiser ta conscience, pour rétablir ton destin, est de nous donner les moyens de fuir Anahiville.

— Je ne suis pas un traître! murmuré-je en croyant hurler.

— Non, il n'est point un traître, affirme Margarita qui a retrouvé la parole. Jamais, *don* Pánfilo, je n'accepterais l'amour d'un homme qui renie les siens.

— Il ne les renie point, *señorita*, puisque les siens, c'est nous. Et quand bien même tu ne t'en convaincrais pas, Gédéon, n'est-ce point toi qui m'as assuré ne voir aucun tort à ce qu'on renonce à son appartenance pour embrasser une autre cause si celle-ci répond à un objectif plus noble? Et qu'y a-t-il de plus noble que de chercher à préserver la vie de celle que l'on aime?

J'ai les dents trop serrées pour riposter… ou est-ce la gorge?

— Laisse vivre les femmes, Gédéon, reprend Valdez, implacable. Laisse mes hommes et moi les emmener en lieu sûr, loin d'Anahiville et des tortionnaires qui la peuplent. Toi qui disposes de la liberté d'aller et venir où bon te semble, trouve les portulans dont use Mange-Cœur, trouve des instruments de navigation, puis libère les prisonniers d'*El Ambicioso*... non ! Ce serait peut-être trop proche d'une trahison pour toi ! Tant pis pour les autres prisonniers, les soldats d'*El Ambicioso*, donc ! Dieu trouvera un autre moyen de soustraire leurs âmes aux démons indiens... Appareille plutôt cette petite patache au quai – celle avec deux mâts à une seule voile –, tiens-la prête pour fuir en mer, et... et pourquoi pas ? Accompagne-nous !

— Oh oui, Gédéon ! lance Margarita alors que je n'ai pas encore absorbé l'épouvantable proposition de Valdez. Ne nous laisse point partir sans toi ! Je ne saurais plus me passer de ton amour.

Ce 7 novembre de l'an de grâce 1571, en le cabinet
de la demeure du gouverneur d'Anahiville

— En faveur de la requête du Regroupement des épouses d'Anahiville relativement à l'exécution des captives dont l'utilité a été considérée comme nulle...

— Le résultat, s'il vous plaît, maître Carabois ?

— Capitaine, en faveur, sept voix.

— Contre la proposition ?

— Contre la proposition, une voix.

— Motion acceptée. On procédera à la sentence à l'endroit habituel, près de la fontaine sur la grande place. Le bourreau mandaté par le Regroupement...

— Il s'agit d'une femme, capitaine.

— Eh bien, « la » bourreau sera avisée de monter l'échafaud à la date que nous déterminerons lors de notre prochaine séance.

Mange-Cœur, penché sur le tiroir d'une commode dans sa cabine de l'*Ouragan*, n'a pas à se tourner vers la porte restée ouverte pour savoir qui approche. Le frôlement de la laine grossière de la bure contre le bois du plancher a déjà trahi le Jésuite.

— Ah ! Voilà où je te débusque ! lance le moine défroqué en franchissant le seuil.

Lionel se redresse en grimaçant de contrariété.

— Je te dérange ? Que se passe-t-il ? demande le second gouverneur de la forteresse.

Mange-Cœur hausse les épaules.

— Bah ! Rien de quelque importance. Un portulan que j'étais certain d'avoir rangé dans mon cabinet à terre, mais qui n'y est point. Je le cherche donc ici, mais ne le trouve pas plus.

— Tu l'auras égaré dans ces journaux de bord et ces annales d'Anahiville que Gédéon et toi accumulez depuis des lustres.

Et, de la main, le Jésuite désigne une pile de cartons et de papiers des plus divers, écorces autant que parchemins, vélins vulgaires et peaux de chevreaux, palimpsestes et originaux, qui encombrent un coin de la pièce.

— Ce n'est point impossible quoique fort peu probable, réplique Mange-Cœur en agitant deux doigts impatients à la hauteur du visage. Surtout qu'un quartier de réduction a également disparu. Peut-être Gédéon ou Bec-de-Flûte, en rangeant, auront-ils déplacé les objets. Enfin, qu'importe! Pourquoi me cherchais-tu?

Avec le menton, Mange-Cœur indique le fauteuil du bureau pour inviter le Jésuite à s'y asseoir. Celui-ci décline d'un simple hochement de tête avant de répondre:

— Je voulais te voir à propos de ton fils.

Une légère contraction des muscles près de l'oreille est le seul indice que le sujet indispose Mange-Cœur. Silencieux, un poing appuyé sur le bureau, il attend que son second reprenne.

— Peut-être l'ignores-tu, mais il s'est entiché de la petite Espagnole qui…

— Je sais. Toute l'île le sait.

— Fort bien. En ce cas, je me demandais s'il ne serait pas juste que tu uses de ton autorité pour imposer un moratoire sur l'exécution des prisonnières que le Conseil a entérinée, hier soir.

— Tu prétends plutôt à ce que j'*abuse* et non *use* de mon autorité.

— Je ne souscris point à ce que tu balaies de la main la décision des conseillers, mais que tu retardes ladite décision, le temps d'entendre le plaidoyer dont nous pourrions prier Gédéon.

— Tu es le seul à avoir voté contre la motion, à toi de soulever l'objection.

— Tu sais que je ne dispose point de ce droit; il relève de ta seule prépondérance en tant que fondateur de l'Utopie.

— Il n'est pas question que j'égratigne les principes sacrés d'Anahiville pour agréer aux *desiderata* de Gédéon.

— Lionel, il ne s'agirait point d'un manquement aux lois qui régissent notre communauté. Chacun des gouvernants qui en ressent la nécessité peut convoquer une assemblée spéciale pour débattre d'un sujet dont…

— Fais-le, toi. Tu possèdes ce privilège.

— À moi, on risque fort de répondre par la négative; à toi, on n'osera opposer un refus.

— Je n'éprouve point l'obligation de me dresser contre cette décision du Conseil. Un regroupement légitime a proposé une requête tout aussi légitime et celle-ci a été acceptée selon les règles.

— Gédéon, par l'entremise d'un gouvernant, a le droit de revendiquer…

— Gédéon n'objecte aux décisions de l'assemblée que des embarras personnels liés à l'affection qu'il a inconsidérément cultivée envers une prisonnière.

— Oh, par le caleçon du pape, Lionel! Paix de tes fausses réticences! Je sais, moi, que ta mauvaise volonté vient simplement du fait qu'il te plaît d'aller à l'encontre des désirs de ton fils!

— Si tu es venu ici, dans ma cabine, pour le plaisir d'épancher ta mauvaise humeur à l'égard de mes résolutions, tu peux t'en retourner.

— Lionel…

— Appelle-moi « capitaine ».

— Lionel, veux-tu donc obliger Gédéon à connaître la même déchirure qui fut tienne à la mort d'Anahi ?

— Je l'ai choisi pour fils, j'ai oublié son origine véritable, la haine que je portais à son père, par égard à mon amour pour sa mère. J'ai fait ce sacrifice et, seize ans plus tard, le sort le désigne pour connaître ce que j'ai connu. Que souffrira-t-il de plus que ce que j'ai souffert ?

— Crois-tu donc que ton mal s'épanchera en lui ? Imagines-tu en toute honnêteté que le venin que tu inoculeras dans le cœur de Gédéon diminuera d'un iota ta propre douleur ? Ignores-tu sincèrement que les souffrances de cette nature ne se divisent point, que, au contraire, elles se multiplient comme les vers dans les biscuits de marins ?

— Sors d'ici !

— Retrouve la mémoire, Lionel. Rappelle-toi les abysses dans lesquels fut plongée ton âme lorsque tu as appris la mort de ta bien-aimée. Ressouviens-toi combien l'enfer lui-même t'aurait paru un lieu de délices si seulement tu l'avais parcouru aux côtés d'Anahi.

— Sors, je te dis.

— Rappelle-toi, Lionel, que tu n'as trouvé mieux pour éponger ton chagrin que de t'en prendre aux responsables de sa disparition. Remémore-toi ta vengeance : Jali, ce grand *bóyé* renégat que tu as abandonné au courroux de Philibert ; Baccámon, ton beau-père, que tu as occis de ta propre main et de manière horrible... Jamais, Lionel, jamais tu n'aurais connu de repos avant d'avoir assouvi ta haine comme tu l'as fait.

— Sors. Laisse-moi seul.

— Prends garde que Gédéon ne t'imite.

17

Anahiville, matin du 9 novembre 1571

— Bec-de-Flûte, as-tu vu Gédéon ? demande le Jésuite.

Nazareno gratte les épis de sa tignasse en fixant d'un air éteint le lit vide de son compagnon de chambre. Si ce n'était leur aspect habituel, ses paupières à demi fermées feraient douter que le garçon soit bien réveillé.

— Je l'ai entendu sortir se soulager… à la mi-nuit…, émet-il d'une voix indolente. Je ne me souviens point quand il est rentré.

— Ni ressorti. Bon. Il n'a point allumé le feu comme de coutume. Tu veux bien t'en charger ?

— D'accord.

— Je me questionne à savoir où est allé ce drôle. Sûrement point déjà retrouver la petite… Ho ! Jehan ! Mais où cours-tu de si bon matin ?

En se retournant vers la cour de la maisonnette, le Jésuite vient d'apercevoir Jehan-le-pêcheur remontant la ruelle qui mène au quai.

— Ah, mille millions de malheurs, monseigneur ! Mais c'est que j'me suis fait dépouiller d'ma *Cordélia* ! Par les andouillers d'Satan, ma bonne grosse chaloupe à deux mâts qui mouillait au môle ! On me l'a truandée, ma patache, monseigneur, c'est comme j'vous dis !

— Qu'affirmes-tu là, pauvre nigaud ? On n'a jamais connu un seul vol à Anahiville. La marée aura…

— Eh bien, tu devras t'y faire Jésuite, éclate soudain la voix de Mange-Cœur en provenance de la ruelle voisine.

Le capitaine de l'*Ouragan* arrive au pas de course, les deux mains affairées à boucler le ceinturon du fourreau de son épée. Ses cheveux ne sont qu'à moitié retenus par leur cordelette de *maho*, trahissant qu'il n'a pas pris la peine de les arranger après s'être levé. Sa chemise, ouverte sur sa poitrine, claque derrière lui comme un fanion sous la brise. En dépassant le Jésuite pour poursuivre son train en direction de la sente menant à la forteresse, il lance :

— Et tu devras aussi te faire à l'idée que non seulement ont disparu le portulan et le quartier de réduction que je cherchais hier, mais également un compas et un bâton de Jacob. Et sais-tu qui je soupçonne ?

— Capitaine ! Capitaine ! Les prisonniers !

Léonard Patata, un cultivateur au patronyme éclairant sur le légume qu'il privilégie, descend à la rencontre de son maître, les mains sur la tête. Mange-Cœur stoppe net sa course et, d'une seule poigne, empaume la veste de Patata pour le freiner à son tour. Il demande :

— Quoi, les prisonniers ? *El Ambicioso* ? Le navire espa…

— Non, point ceux-là. Eux, tout est en ordre. Par contre, les otages, ils ne sont plus dans leur cachot !

— Et les captives ?

— Pas plus, capitaine.

Lionel pivote face au Jésuite, les deux bras étendus de chaque côté de lui.

— Eh bien, voilà qui confirme mes soupçons sur le coupable ! s'exclame-t-il. Ai-je besoin de te le décrire ?

Les prunelles enflammées de Mange-Cœur quittent ensuite la mine atterrée du moine pour fixer Bec-de-Flûte. Ce dernier troque d'emblée l'expression niaise qu'il affiche depuis son lever pour un air tout à fait apeuré.

— Toi ! Toi, son ami le plus proche. Que sais-tu ?

— M… moi ?

— Quels sont les projets de Gédéon ? Où a-t-il l'intention de mener les prisonniers à bord de la patache volée ?

— Gédéon n'est point pilote, Lionel, hasarde le Jésuite. Il ne peut lire un portulan ni estimer sa posi…

— Mais de Narvaez, si !

Devant l'évidence, le moine défroqué se voit contraint de donner raison à son capitaine. À son tour, il se tourne vers Nazareno et c'est lui qui insiste :

— Eh bien, parle. Que connais-tu des desseins de Gédéon ?

— Je ne sais de quels desseins vous m'entretenez, répond le garçon en faisant alterner son regard du Jésuite à son capitaine. J'ignore ce que vous reprochez à Gédéon.

— Baste ! Bien sûr ! lâche Mange-Cœur avec un geste brusque de la main. Quand bien même tu aurais participé à l'élaboration de quelque conjuration, tu es trop benêt pour en avoir saisi l'essence. Tu…

— Lionel !

— Jésuite, par le Christ, appelle-moi « capitaine » comme tout le monde ! Et toi, Bec-de-Flûte, va quérir à l'instant ta trompette pour sonner le rassemblement sur le galion. Léonard, tu remontes là-haut, et jusqu'à la forteresse, palsambleu ! Tu transmets mon ordre à Berthon qu'il fasse tirer l'alarme. Trois coups de canon, tu entends ? Jehan, parcours les rues, frappe à tous les huis, réveille-moi les graines de paresseux qui dorment encore ! Proclame l'alerte générale. Moi, je fonce à l'*Ouragan* ! Il faut avoir mis les voiles dans moins d'une ampoulette !

Île d'Anahiville, rives occidentales, matinée du 9 novembre 1571

Notre stratégie est fort simple : embouqués dans une passe étroite derrière l'île, toutes voiles amenées sous le couvert d'une dense frondaison, nous attendons que l'*Ouragan* disparaisse au ponant, cinglant grande largue, bonnettes déployées.

Six heures plus tôt, à nuit fermée, quand la lune gibbeuse s'est allée boire à l'ouest, il m'a été facile de délivrer les otages pour les faire monter clandestinement à bord de la *Cordélia*, la patache de Jehan-le-pêcheur. Quitter le quai et la rade à marée descendante fut tout aussi aisé.

— Les pirates estimeront que nous voguons en direction de Cuba, là où soufflent les alizés, a dit le *capitán* Pánfilo Valdez y Melitón quand nous étions encore à discuter machination à travers la cloison donnant sur le quartier des femmes. Voilà qui leur paraîtra des plus logique.

— Ne l'est-ce point ? s'est informé de Narvaez que je devinais, nez sur le portulan, sourcils froncés, compas mesurant les lieues à franchir selon le rhumb de vent choisi.

— Sans doute. Toutefois, avec *El Ambicioso* et les soldats qui y sont emprisonnés et qui ne s'y connaissent guère en maniement des manœuvres, nous serons une proie facile. Mais grâce au deux-mâts gréé en carré, par grand largue ou par vent en poupe, on pourra peut-être les gagner de vitesse. De combien de temps disposons-nous pour distancer leur galion tiré par toute sa toile ? D'après vous, *don* Arcángel ?

— Tout dépend de l'avance que nous aurons gagnée, a répliqué celui-ci. Si nous franchissons le cordon littoral aux premières bigarrures de l'aurore...

— Peuvent-ils nous rattraper avant que nous soyons en vue d'Hispañola ?

— Sans doute.

— Peste ! a juré Valdez. Notre meilleure option est donc de nous cacher à l'arrière de l'île pour remonter le septentrion vers la *tierra florida*. Raison de plus pour ignorer *El Ambicioso* qu'on ne pourrait dissimuler sous la frondaison parce qu'il demande trop de tirant d'eau pour s'approcher ainsi de la terre.

— Vous voulez capter les alizés du suroît ? s'est inquiété de Narvaez. C'est folie que de penser traverser la mer océane à bord de la patache ! Dérobons plutôt *El Ambicioso*.

— La patache, ce n'est point pour rejoindre l'Europe, bougre de niquedouille ! C'est pour atteindre San Agustín où nous trouverons refuge auprès de *don* Pedro Menéndez de Avilés, ex-*Capitán General de la flota de Indias* et *adelantado* de la Floride, mon ancien commandant ! Le temps que les pirates comprennent, qu'ils rebroussent chemin, nous serons hors d'atteinte.

Voilà pourquoi nous attendons dans l'anse étroite, au milieu d'étocs menaçants et de basses tranchantes, que disparaisse à l'horizon le pavillon rouge à tête de mort de l'*Ouragan*.

— Eh bien ?

Voilà au moins deux douzaines de fois que Mange-Cœur hurle la question en direction du nid-de-pie de la misaine.

— Horizon désert, cap'taine !

Et voilà autant de fois que la vigie de faction lui retourne la même réponse.

— Par Mápoya ! Ce n'est point possible !

Rares sont les occasions où l'on surprend Mange-Cœur à afficher son impatience de la sorte et ceux sur qui il jette son regard courroucé baissent le leur, troublés.

— Jehan ! Jehan, pardieu, es-tu sourd ? Amène-toi çà !

— À… à vos ordres, 'pitaine.

— Ta patache, ta foutue *Carmélia*…

— *Cordélia*.

— *Cordélia*, jarnidieu ! Est-ce concevable, en dépit de ce vent d'est de tous les diables et avec six heures d'avance, que ta ventredieu de *Cordélia* reste toujours invisible ? De combien d'aunes de toile l'as-tu donc gréée ?

Jehan-le-pêcheur glisse les doigts sous le foulard noué sur sa tête afin de mieux gratter son cuir chevelu.

— Point tant, 'pitaine, point tant. C'est qu'l'est point si véloce, ma bonne barque de pêche. J'comprends guère qu'l'ayons point encore en vue, la coquinette. M'est avis qu'le diable la pousse, m'ouais !

— Le diable, le diable…, ronchonne Mange-Cœur en orientant le miel de ses iris sur la ligne turquin de l'horizon.

Il se tourne soudain vers le Jésuite et Santiago, à deux pas derrière lui.

— Par la malepeste! En parlant de diable… Ce fichu Valdez, il était sous les ordres de l'*adelantado* de la Floride, non?

— En vérité…, hésite le moine défroqué, je ne me rappelle guère…

— Hé, hé! Me semble-t-il, oui, confirme Santiago. Et si mon souvenir des interrogatoires de l'époque ne me trompe point, il a été détourné de sa mission par le gouverneur de Cuba, hé, hé!

Le visage de Mange-Cœur s'empourpre. Sur un seul talon, il pivote vers le gaillard d'arrière où Philibert s'assure de la route tenue par un jeune timonier.

— Au vent toute, par Mápoya! Cap nord-est, vingt degrés! On a été joués!

— No… nord-est, capitaine? s'étonne Philibert. On va serrer le frais d'importance.

— Eh bien, on serrera, ventredieu!

Puis, en levant l'index en direction de la mâture:

— Vergues en pointe, tribord amures, vent de près bon plein! Par les tripes de Belzébuth! Double ration de guildive à vie pour tout le monde si on hausse cette fichue patache avant la Floride!

18

Quelque part dans les Bahamas,
nuit du 9 au 10 novembre 1571

Toute la nuit, nous cinglons au nord des Bahamas, les «Bajas Mares», c'est-à-dire «les Mers basses». En dépit du danger, Valdez tient à s'assurer de mettre le plus de distance possible entre la *Cordélia* et l'*Ouragan*. Quand de Narvaez a ronchonné, le *capitán* a répliqué en français pour éviter d'amplifier l'émoi chez *doña* Filomena :

— Ce maudit pirate, ce Mange-Cœur, s'est lié aux démons indiens, et il est capable de respirer notre odeur à travers les embruns poussés par les alizés.

Au quart de deux heures du matin, à la lumière de la lune presque pleine, c'est moi qui tiens la barre en guettant d'éventuels étocs. La patache, conçue pour deux ou trois pêcheurs, accuse un important tirant d'eau avec ses neuf passagers.

— Mais point autant qu'un lourd galion rempli de forbans, a ricané de Narvaez, plus tôt, quand Isidro a fait la remarque.

Cette fois, si l'échange a eu lieu en français, c'était davantage pour me mettre à l'épreuve. J'ai failli rétorquer qu'ils méconnaissaient les qualités de l'*Ouragan*, modifié et perfectionné par deux générations de marins inspirés, dont le brillant ingénieur qu'était Cape-Rouge. Mais à quoi bon ! J'ai élu de trahir les miens ; il vaut mieux étouffer mes envies de défendre leur adresse et leurs compétences.

À demi pontée à partir de l'étrave, la *Cordélia*, trop lourde à la proue, soulève un fort crachin chaque fois qu'elle crève une vague. Afin d'en relever l'assiette, les hommes sont couchés à la poupe autour du timon, protégés du poudrin par la toile d'un cagnard. Les deux femmes, quant à elles, privilège de leur sexe, profitent de l'abri du gaillard, à l'avant.

Dans la pénombre, je distingue la minuscule silhouette de Margarita, recroquevillée près de sa duègne. Un court mantelet de serge serré sur ses épaules lui tient lieu de défense contre le frais nocturne. Malgré tout, elle s'est endormie. De ma position, il m'est possible de reconnaître le balancement léger de sa respiration. Par étrange, je m'en trouve ému. Si Margarita respire cette nuit, si elle respirera demain, après-demain et dans un mois, c'est grâce à mon aide. C'est parce que j'ai choisi de quitter la communauté qui l'a promise à la mort. J'ai décidé de trahir les miens pour rester loyal à mes sentiments.

Mais les miens sont-ils les miens ? Les *vrais* miens ?

Ne dois-je pas plutôt me réclamer des hommes qui parlent la langue et pratiquent la religion de mon père ? Et je ne parle pas de celui qui, par amour pour ma mère, a fait de moi son fils, mais bien de celui qui, dans le ventre de celle-ci, a planté une graine de vie. L'Espagnol à qui Anahi s'est donnée par respect des traditions kalinagos.

Seulement, qui connaît les sentiments exacts qui habitaient le cœur d'Anahi, seize ans plus tôt ? Qui sait les émotions authentiques que ma mère entretenait à l'égard du *teniente* Rato ? Aussi, à qui suis-je réellement redevable ? À quelle société suis-je lié ? Et si ma rencontre avec Margarita relevait d'un effort du destin pour me ramener à mes origines véritables ? Pour me faire prendre conscience du tort dont je suis victime ? De l'indignité d'une communauté m'ayant tenu éloigné de ma fortune innée ?

Quand j'observe ainsi la respiration de Margarita, je sais à tout le moins à quel monde je veux appartenir. Alors, tous mes doutes se fondent au milieu des embruns soulevés par la *Cordélia*.

19

Quelque part dans les Bahamas,
matinée du 10 novembre 1571

— ¡ *Mecachis !*

Le juron vient de Rogelio qui, debout sur le tableau de poupe, un long bras décharné devant lui, désigne l'horizon. En guise de chapeau, il a noué sur sa tête le lambeau de tissu qui lui sert de chemise.

— ¡ *Piratas !*

Je suis réveillé depuis moins d'un quart d'heure et je rafraîchis mon visage avec de l'eau de mer. Je suspends mon geste et me redresse pour accueillir le regard terrifié de Margarita à la proue.

— *Quizás es una nube*, avance Isidro.

Un nuage.

Je monte à mon tour sur le plat-bord et me déplace pour couper l'angle de l'artimon. Je distingue fort bien la pyramide formée par les maîtresses, huniers et perroquets. Au diable, le nuage ; c'est l'*Ouragan* !

— Il nous hausse, que je murmure en passant devant Valdez qui n'a pas besoin que je précise davantage.

Je reviens au centre de la patache où, nez au ciel, j'évalue l'obliquité avec laquelle les voiles prennent le vent. J'estime ensuite notre vélocité de la manière habituelle, selon les vagues, le tonnage, la résistance due au tirant d'eau…

— Combien de temps? demande le *capitán* en s'approchant de moi.

— En supposant que la brise ne change point?

— Comme de raison.

— À jour fermant.

— Et le suet? Variera-t-il?

Si je dispose d'aptitudes pour déterminer le volume et le mouvement des choses, je n'ai point les talents d'Urael pour prédire les caprices du temps. Je hausse les épaules en gardant le nez sur un nuage qui, fort haut, me paraît chasser plus vite que s'il glissait à la pomme des mâts. Non seulement les vents fluctuent-ils, mais leur allure diffère en fonction de leur altitude.

— Gédéon…

Margarita, d'un petit geste de la tête, m'invite à la rejoindre à la proue. *Doña* Filomena, si elle conserve une attitude distante à mon endroit, n'exprime plus le… dédain dont elle m'affectait auparavant. J'en ressens un certain contentement.

— Gédéon, ce sont les pirates, n'est-ce pas? Les mêmes qui t'ont enlevé quand tu étais bébé? Ils nous rattrapent?

Margarita a saisi l'une de mes mains dans les siennes et j'en goûte le frais satiné, l'infinie délicatesse. Je note que l'œil sévère de sa tutrice est fixé sur cette poigne. La femme tourne le menton vers Fidel, au centre de la patache, comme pour inviter l'esclave à réagir si jamais il me prenait envie d'abuser de mon privilège et de pousser plus loin ce qui frise déjà l'inconvenance.

Afin de dissiper tout doute, je retire mes doigts le premier et m'incline avec le plus grand respect pour répliquer :

— Seul *don* Arcángel peut répondre à cette question, mademoiselle. Il sait lire les cartes et connaît notre position. Peut-être approchons-nous d'une île dont une rade nous permettra de nous abriter tout en interdisant à un navire plus gros d'avancer. Il m'est seulement possible d'affirmer que, en regard de la distance qui nous sépare du galion et en fonction de l'allure avec laquelle il gagne sur la *Cordélia*, nous bénéficions encore de plusieurs heures de répit.

J'ai parlé assez fort pour que de Narvaez entende. Margarita soulève donc un sourcil en direction de l'ancien capitaine de la *Santa Concepción*. Celui-ci grommelle en manière de réponse :

— Il y a plusieurs îles, oui, là, là, là et là…

Il désigne de la main différents points à bâbord comme à tribord. Ensuite, il tourne la tête vers Valdez comme pour convaincre ce dernier de la foi qu'il démontre envers ses propres compétences de pilote.

— Il y a plusieurs îles, répète-t-il, des îlots. On peut les rejoindre avant le couchant.

— Alors, menez-nous à la plus proche, le défie *don* Pánfilo en orientant son profil d'aigle en direction de la minuscule pyramide blanche. Si vous tenez à éviter d'être mangé par les cannibales, trouvez-nous au plus tôt une anse protectrice.

Quelque part dans les Bahamas,
soir du 10 novembre 1571

Mange-Cœur n'a plus parlé depuis des heures. Debout sur la dunette, il fixe la silhouette de la patache qui, pareille à un enfant facétieux, se cache derrière le guindant de la grand-voile, reparaît entre les amures, se dissimule cette fois à la suite de la misaine, resurgit, repart… Elle bondit sur les sommets crémeux des vagues pour mieux plonger le long des pentes aqueuses, tanguant d'importance, présentant d'abord le dessus de son étrave carrée, son arcasse ensuite, puis le safran du gouvernail, l'étambot, voire le talon de la quille.

À l'avant de l'*Ouragan*, un homme de sonde jette son plomb avec régularité, mais la vitesse du galion donne tant de bomme à la ligne qu'il estime prudent de diviser par deux le nombre de brasses obtenu. Deux Kalinagos penchés aux herpes et un Africain dans le nid-de-pie ont pour seule responsabilité de s'assurer que la couleur des flots ne trahit point quelque haut-fond funeste. L'*Ouragan* serre le vent, mais en l'attrapant de si belle manière qu'on le pourrait croire pougeant, avec un courant des plus favorables.

À la tombée du jour, quand le disque solaire commence de mêler son feu à l'eau, que le ciel se teinte de rouge et de sombre, tel un Caraïbe en guerre se couvre de *couchieue* et de *nicolai*, un mamelon surgit devant la *Cordélia*, puis croît à mesure que les navires gardent le cap dans sa direction.

— Une île, confirme simplement Nez-en-Moins, en se plaçant près de Mange-Cœur, mais sans lui indiquer le point qu'il vient de repérer sur le portulan dans ses mains.

Le Jésuite, à côté, appuyé à deux mains contre la balustrade de la dunette, son crucifix-poignard pendant devant lui, ajoute :

— Plus possible de les rejoindre avant la noirceur. Ils vont chercher refuge dans quelque anse où le tirant d'eau de l'*Ouragan* ne nous permettra point de les suivre.

— Hé, hé ! Les Kalinagos ont emporté quatre *canobes* fort légers, réplique Santiago. Avec de bons rameurs, on saura les rejoindre, qu'importe le fleuve emprunté, hé, hé !

— Mais point avant demain.

— Bah ! Eux-mêmes ne se risqueront miette à avancer trop au cœur d'une île inconnue en pleine obscurité.

Mange-Cœur, son large chapeau enfoncé jusqu'aux sourcils, ses pupilles flamboyantes fixant le couchant, grince entre ses dents :

— Comme m'inquiète la possibilité de voir échapper nos otages avec tout ce qu'ils connaissent d'Anahiville.

Tout à coup, il accentue la profondeur des ridules aux commissures de ses paupières. La peau à la racine de son nez se chiffonne en un entrelacs de plis complexes tandis qu'il jure :

— Par Mápoya ! Voyez à tribord !

À bord de la *Cordélia*, devançant pourtant l'*Ouragan* d'une bonne lieue, je ne crois pas que nous ayons aperçu le navire avant mon père.

— ¡ *Velas por delante !*

Isidro, bras de nouveau tendu à l'étrave, jette à son *capitán* une expression terrifiée, comme s'il pensait que l'*Ouragan*, par quelque sorcellerie amériquaine, nous avait doublés pour nous prendre à revers. Puis il désigne le bâtiment qui vient de surgir devant nous. Il crie :

— ¡ *Galeón ! Enarbolando el pabellón de don Felipe !*

Incertain d'avoir compris, je me tourne vers Valdez, mais c'est Margarita qui traduit pour moi :

— Nous sommes sauvés, lance-t-elle. Un galion aux couleurs du roi d'Espagne.

— Et armé en guerre! se réjouit Rogelio en français. Voyez les sabords! Un vingt-huit… non, un trente canons! Dieu est avec nous!

— Dieu a *toujours* été avec nous, précise *don* Pánfilo en tapant sur l'épaule de son gradé comme pour le rabrouer, mais, en fait, pour épancher sa propre excitation. Ne doutez jamais de Son amour pour ceux qui ont embrassé la vraie foi.

Il enjambe un trou du mauvais caillebotis tenant lieu de plancher et se dirige vers la proue où il entame une courbette pour s'adresser aux femmes. En espagnol, il leur demande ce que Margarita m'expliquera plus tard:

— *¡Señora! ¡Señorita!* S'il vous plaît, placez-vous à l'étrave de manière à être vues du galion. Faites de grands signes afin que les officiers à son bord comprennent que nous ne sommes point des pirates, mais bien des naufragés.

Incontinent, les deux Espagnoles, l'une appuyée à la lisse de garde-corps, l'autre dans les bras de son serviteur silencieux, agitent des mouchoirs en laissant battre autour d'elles les tissus de leurs robes. Déjà, le taille-mer du gros bâtiment tourne dans notre direction pendant que les voiles maîtresses et les huniers remontent sur leur vergue. La latine d'artimon seule s'agrippe au vent qui souffle par le travers bâbord avec ardeur.

— *¡Náufragos! ¡Náufragos! ¡Ayudanos por favor!*

Au bastingage du vaisseau de guerre, des têtes coiffées de morions se mêlent aux foulards des marins. Des chapeaux à plumes, aussi, se distinguent à la hauteur des bouteilles. Des ordres brefs sont transmis à deux matelots qui s'empressent de lancer des cordages le long de l'échelle de coupée. De Narvaez et Bares les nouent aussitôt au bordage de la patache et aux pilastres des tire-veilles du galion, soudant pour un moment les deux bâtiments ensemble. La présence des femmes stimule le zèle de plusieurs sauveteurs qui, au lieu d'attendre que nous montions la muraille du navire, s'élancent sur les échelons pour tendre leur main en guise d'assistance. Toutefois, l'arrivée de Valdez qui, le premier, s'attaque aux degrés, suivi de Narvaez et de Bares, les persuade de revenir au pavois.

Doña Filomena, victime sans doute du mal des hauteurs, s'accroche aux tire-veilles, yeux fermés, dents serrées. Elle se hisse lentement, degré par degré, encouragée par les cris des matelots au-dessus de nous, mais surtout par l'approche de Fidel, juste sous elle, qui escalade les marches en se retenant d'une seule main aux cordages et, de l'autre, en soutenant Margarita.

Je me retrouve entre Rogelio et Isidro, et ce dernier, avant d'entamer sa montée, s'assure de dénouer le câble qui lie la *Cordélia* au galion. Quand j'atteins la hauteur de la coupée qui me donne accès au pont, un ultime regard en arrière me permet de voir la patache emportée par les vagues et le courant qui la mèneront là où la mer veut bien d'elle.

Un peu plus loin, éclairé par la lumière rase du soleil en plongée, l'*Ouragan* flamboie tel un brandon échappé du brasier des enfers. Je retiens ma respiration de longues secondes quand je constate que le puissant bâtiment pirate fonce sur l'Espagnol en soulevant le mantelet de ses sabords, la gueule des canons émergeant déjà des ouvertures.

20

Quelque part dans les Bahamas,
crépuscule du 10 novembre 1571

La rencontre dure quinze minutes tout au plus, car le temps presse. Quand le *capitán* Pánfilo Valdez y Melitón sort de la cabine du commandant, son aura rayonne de plus de respectabilité et d'honorabilité encore qu'à son entrée. Il est certain qu'il aura su faire valoir ses mérites d'officier, son courage et son intelligence pour avoir survécu à l'attaque de son navire, six ans plus tôt, avoir supporté autant d'années d'esclavage aux mains des pirates et avoir ramené avec lui un capitaine de bâtiment et trois gradés… sans compter deux femmes nouvellement captives et leur serviteur africain. Bien sûr, s'il a mentionné les prisonniers promis au sacrifice et restés à bord d'*El Ambicioso*, il aura prétendu avoir fui pour mieux revenir les délivrer.

Le commandant du *Palomero* – le galion de guerre espagnol – est l'amiral Honorato Acón de San Miguel, un homme gras et empesé, dont l'uniforme orné de rubans et de dentelles rappelle la robe de Maoualie. *Don* Honorato entoure Valdez de prévenances, car l'amiral est lui-même aux ordres de l'*adelantado* de la Floride, l'ancien maître de Valdez. Il connaît donc la valeur que l'on a prêtée au *capitán* avant que ce dernier tombe aux mains des pirates. Le zèle de *don* Honorato envers *don* Pánfilo est tel que je finis par me demander lequel des deux domine l'autre en hiérarchie.

Revêtu d'une veste sans manches prêtée par un *capitán* du galion – un certain Esteban López –, ceignant à sa ceinture le fourreau d'une rapière offerte par le même officier, Valdez précède l'amiral quand ce dernier se place à la balustrade devant sa cabine pour s'adresser à ses hommes. De Narvaez, Bares, Rogelio et Isidro, qui n'ont pas assisté à la rencontre, mais qui bénéficient maintenant d'un respect équivalent à celui dont jouit Valdez, sont priés de rejoindre leurs supérieurs.

— *Por favor, señoras,* dit de San Miguel en désignant l'escalier à *doña* Filomena et à Margarita pour les inviter à le retrouver. *El Negro puede acompañarlas.*

Fidel, qui n'a pas lâché Margarita depuis que nous sommes montés à bord et qui ne paraît jamais se fatiguer à la tenir dans ses bras, s'engage derrière la duègne.

Puisqu'aucun des anciens otages avec qui je me suis enfui ne m'a accordé la plus infime attention, puisque Margarita elle-même semble m'avoir oublié, je n'ose bouger de l'endroit où je suis, entouré de cuirasses bien polies et même de chausses jaunes et rouges, couleurs officielles de l'armée. Je feins de ne pas remarquer les dizaines d'autres yeux qui, eux, me dévisagent avec intensité. Je m'intéresse plutôt à l'*Ouragan* qui se rapproche de minute en minute par bâbord, au brassage des vergues du *Palomero* qui m'apparaissent un brin mal orientées pour bouliner efficacement, à la bonne disposition des cordages le long du bastingage et aux cabillots des râteliers, dénotant un certain souci de l'ordre qui manque souvent sur les navires que nous abordons. Je m'arrête aux armes bien fourbies sur les épaules des fusiliers, aux canons qui...

— ¿ *Es él?*

Je constate que l'amiral pointe avec réticence un index gras dans ma direction. Une chair flasque pend de son menton glabre sur une collerette fort annelée – et dont l'effet me paraît des moins heureux au milieu de ses autres tissus.

— ¿ *Es el hijo de Mange-Cœur?*

— *Sí*, répond simplement Valdez en évitant de me regarder.

— Toi, pétiot, me lance de San Miguel avec un accent à couper à la biscaïenne. Viéné prés dé nous otros.

Déglutissant pour humecter ma gorge sèche, je m'attaque à mon tour à l'escalier qui mène à la galerie. Quatre marches au-dessus de la cabine des officiers, sur la dunette, des hommes s'affairent au râtelier du mât d'artimon.

— On mé dit qué tou as été élévé chez lés *piratas* ?

Je capte une brève œillade d'encouragement de la part de Margarita avant d'incliner le menton vers de San Miguel.

— Si, Excellence, que je réponds.

— Tou té prétends lé fils de Mangé-Cour, ma tou sérais ploutôt céloui d'oune bravo liouténant dé Sa *Majestad* ?

— Si, Excellence, que je répète.

Je me hasarde à lever le nez pour noter que le commandant du *Palomero* me fixe avec un intérêt mêlé de défiance. La même curiosité habille le regard de ses deux aides les plus proches, le *capitán* Esteban López et un *teniente* dont j'apprendrai plus tard qu'il s'appelle Lazaro Luz. De Narvaez et ses compagnons m'observent, quant à eux, avec un air vaguement amusé. Je n'ose m'enquérir de quels yeux les deux femmes, Fidel et Valdez m'accommodent, car pour cela, il me faudrait pivoter à demi sur mes talons, présenter une partie de mon dos à l'amiral, ce qui me paraît des plus inconvenant.

— *Pues…*

De son doigt boudiné, le commandant du *Palomero*, cette fois, désigne l'*Ouragan* qu'on distingue le long du guindant de la grand-voile et qui, dans bien peu, nous croisera. Il dit :

— Crois-tou qué Mangé-Cour, il va parlémenter étant donné qué tou té trouvé parmi nous ?

— Non, Excellence.

— *Por supuesto que no, Excelencia*, réplique Valdez en même temps que moi.

L'amiral, d'un mouvement distrait de la main, repousse un ruban que le vent s'obstine à renvoyer sur son visage. Lentement, en plissant les yeux vers le navire pirate, il rétorque :

— Yé vois.

Puis, souriant à Valdez avec un air exagérément méchant :

— Nous aurons donc lé plaisir dé massacrer cés maudits *luteranos* sans dévoir perdré dé temps à aboucher. *¿ Teniente ?*

— *¿ Excelencia ?* répond Lazaro Luz en cambrant le dos.

— *¿ Están listos los cañones ?*

L'officier se tourne de façon symbolique en direction de la batterie du pont où attendent les canonniers et leurs aides penchés aux gargousses.

— *¡ Los artilleros esperan la orden de disparar, Excelencia !*

Pendant que les indications à propos des préparatifs du combat s'échangent, je cherche Margarita des yeux. Toujours dans les bras de Fidel, une main dans celle de *doña* Filomena, elle baisse à demi les paupières dans ma direction en guise d'encouragement. Je m'en sens réconforté. Pendant un moment, j'ai cru…

— Mange-Cœur !

La voix de Valdez me ramène à lui. Il fixe un point, droit devant. Je suis la ligne de son regard et aperçois

l'*Ouragan* qui approche bien plus vite que ne le pré-
voyaient les Espagnols. Je m'étonne de ressentir de la
fierté à voir l'angle parfait des vergues du galion qui
pouge avec la meilleure allure.

Mon père... Enfin, je veux dire, Lionel Sanbourg,
le capitaine des pirates – notre ennemi, quoi –, se
reconnaît sans peine à la large mante écarlate de Cape-
Rouge, son ancien parangon, qu'il laisse flotter derrière
lui. Je retrouve aussi la bure du Jésuite et les silhouettes
familières de Santiago et de Nez-en-Moins. Sur le
pont, déjà, je peux entrapercevoir Deux-Poignards,
Bec-de-Flûte, Mobango, Grenouille...

Je fronce les sourcils. La bouche des canons qu'on
distingue par-dessus le pavois et de ceux qui émergent
par les sabords accuse un angle curieux. Comme si...

À l'instant où je comprends et cherche à en aviser
Valdez, l'amiral, avec une familiarité peu coutumière
chez un officier espagnol, place une main sur ma
poitrine. Je crois qu'il veut me demander quelque
chose, mais il n'aspire qu'à m'inviter à faire un pas de
côté afin de s'adresser à Margarita et *doña* Filomena.
Il s'incline avec moins de grâce que d'affectation pour
désigner la porte de sa cabine.

— *Por favor, señoras, vayan ustedes a refugiarse
al...*, entame-t-il pour proposer aux deux femmes
d'aller se mettre à l'abri.

Mais il n'a pas le temps de terminer sa phrase.

Alors que les navires n'en sont qu'à rejoindre leur
étrave, qu'il est beaucoup trop tôt pour espérer placer

un boulet dans les murailles, la première bordée que j'ai anticipée à l'instant éclate en provenance de l'*Ouragan*. Au tonnerre des explosions et au sifflement de la mitraille, aux gémissements des manœuvres touchés et aux claquements des écoutes sectionnées, succèdent les hurlements atroces des soldats fauchés.

L'assaut vient de s'engager.

Dans l'épaisse fumée qui suit la canonnade, quoique sachant que nous disposons de plus d'une minute avant que les artilleurs aient rechargé leurs bouches à feu, je tarde à me redresser. Je connais trop bien les méthodes de mes anciens alliés. Aux boulets et à la mitraille s'enchaînent toujours les sagaies et les flèches des Kalinagos et les arquebusades des tireurs d'élite.

Une autre technique de mon père – de Mange-Cœur, pardon – vient de fort bien réussir : il a déventé le *Palomero* et, par la même occasion, tué son élan en l'obligeant à baigner dans une nuée impénétrable qui tarde à se disperser.

J'entends tomber des manœuvres que les boulets ramés ont arrachées, je perçois le crissement d'une antenne qui pivote sur son axe, mais nulles flèches, sagaies ou balles. Mes anciens camarades craindraient-ils de me toucher par accident ? Voilà qui les changerait fort de leurs habitudes.

Dans l'obscurité des volutes, je distingue les silhouettes des Espagnols autour de moi. D'instinct, chacun s'est penché ou jeté à terre. Je reconnais d'abord de San Miguel puis Valdez, les plus près de moi. Ils ne me semblent point atteints par la mitraille, et si chacun serre les dents, c'est davantage de colère que de souffrance.

Le *teniente* Luz gît face contre terre à deux pas, bras en croix, la cuirasse piquetée d'une gerbe de ferraille. Son morion a été emporté et sa nuque est ouverte sur un amas de chair sanguinolente. Pour celui-là, l'assaut n'aura guère duré.

Je me faufile entre Valdez et l'amiral pour rejoindre Margarita. Je trouve d'abord *doña* Filomena, l'air hébété, une main sur la bouche, toussant à pleines bronches. Derrière elle, sa filleule repose toujours contre la poitrine de Fidel qui, lui, a un genou à terre. Mon cœur s'arrête : la robe de Margarita, à hauteur d'épaule, est couverte de sang.

Je bondis vers elle et, au moment où je tends les bras pour l'arracher à son serviteur, elle lève vers moi un regard étonné.

— Gé… déon.

— Margarita ! Tu es blessée ? Tu souffres ? Dis-moi !

— Non, c'est… c'est Fidel.

Je constate alors que le sang ne vient pas de la jeune fille, mais du côté de la tête de l'Africain dont une oreille a été emportée. Fort comme un taureau et dévoué plus qu'il n'est permis à un domestique honnête, le Nègre, en dépit de sa plaie, refuse d'abandonner sa protégée.

— Fidel, *bajame*, demande-t-elle. Pose-moi par terre.

— *No, señorita. Es nada. Me siento bien.*

— Il faut vite aller se mettre à l'abri ! lancé-je en saisissant l'avant-bras de l'Africain. Quand les pirates vont sauter sur le pont, balles, flèches et sagaies voleront en tous sens et seule l'indulgence des dieux soutiendra ceux qui n'auront pas eu la bonne idée de courir aux écoutilles.

— Pourquoi les nôtres ne tirent-ils pas ? s'étonne Margarita en tapotant vivement l'épaule de Fidel pour l'inviter à suivre mon exhortation. Pourquoi nos bouches à feu ne…

— À cause de la fumée, que je réponds en me retournant pour repérer l'escalier. Ils ne tiennent point à gâcher…

Je m'interromps, car je constate que les nuées se sont levées à hauteur des huniers et qu'on distingue fort bien, à portée de canons, le fougueux *Ouragan*. Toutefois, ce dernier croise si vite notre route que, déjà, seuls les mortiers au niveau des bouteilles sont en position de l'atteindre.

— *¡ Fuego !*

Pis ! Au moment où le maître canonnier espagnol ordonne le tir, le hasard veut que Mange-Cœur ait commandé une manœuvre brusque qui, à la même seconde, permet au galion de virer. L'*Ouragan* prend le vent à pleine toile et change de cap pour venir couper la houache de l'Espagnol. Seulement deux boulets de dix livres frappent le bordé sans causer beaucoup de mal tandis que les trois autres dessinent une trajectoire qui les mène loin dans la mer.

— ¿ *Que hace este idiota ?* s'interroge l'amiral, incrédule, tournant sur lui-même pour suivre la course du vaisseau pirate.

— Que fait-il ? demande Valdez en s'adressant à moi comme si je pouvais deviner les ruses de Mange-Cœur. Quelle friponnerie nous réserve ton père ?

— Quoi, mon père ? répliqué-je avec une intonation dont je n'ai pas souvent usé face au *capitán*. Je croyais que j'étais le fils du *teniente* Joaquín Rato !

— Petit misé…

Valdez est interrompu quand lui et moi sommes projetés contre la rambarde par la secousse qui ébranle le navire. Cette fois, même le pauvre Fidel en échappe son fardeau et je vois les tissus de la robe de Margarita basculer dans un roulé-boulé près de l'escalier. Par miracle, elle parvient à se retenir aux balustres de la rampe.

Quasi inconscient, une main sur le crâne, je me relève à demi, prêt à poursuivre mon altercation avec le *capitán* Valdez. Mais une voix résonne à l'arrière, vite reprise dans une succession d'intermédiaires jusqu'à ce que le message atteigne l'amiral de San Miguel.

— ¡*Esta roto el timón!*

Mes yeux croisent ceux de Margarita et, les lèvres blanches, celle-ci traduit à mon intention :

— Le gouvernail est touché !

21

L'*Ouragan*, poussé sur son erre, coupe entièrement le sillon du *Palomero* pour réapparaître par-delà la bouteille tribord. Des ordres sont hurlés par un lieutenant qui, *de facto*, a été désigné pour remplacer le *teniente* Lazaro Luz. On arme les batteries de ce côté du bordé pour parer à une attaque sur la hanche opposée à la première.

Mais, au lieu de virer pour nous assaillir par tribord, les pirates font hisser toute la toile – et avec un si bel ensemble qu'on croirait voir éclore la corolle d'une fleur – et s'éloignent, vent en poupe.

— ¿ *Qué están haciendo*? s'étonne de San Miguel, qui ne comprend pas la manœuvre de Mange-Cœur.

Au lieu de se tourner vers Valdez pour connaître son avis, il pivote plutôt vers moi.

— Qué font lés *piratas*?

Je remue la tête de gauche à droite, yeux fixés sur l'*Ouragan*. Moi non plus, je ne saisis pas bien la tactique de mon père… de Sanbourg, je veux dire. Aussi, je m'en désintéresse, abandonne de San Miguel derrière moi et cours vers Margarita. Puisque Fidel a mis du temps à se relever de sa chute, je suis le premier à rejoindre la jeune fille. À deux pas, *doña* Filomena est adossée contre le pavois, se tenant le front en même temps qu'elle renvoie ses cheveux défaits vers l'arrière.

— Puis-je me permettre de vous toucher, mademoiselle Margarita ?

Cette dernière jette d'abord un œil en direction du pauvre Fidel occupé à nouer un vieux tissu autour de son crâne. Sa blessure saigne toujours et sa clavicule droite est poissée de pourpre. La jeune fille répond :

— Dans les circonstances, Gédéon, je crois qu'il n'y a pas de mal.

Elle redresse les coudes et hausse les épaules afin que je puisse glisser un bras autour d'elle. Les doigts délicats qu'elle pose sur mon biceps me font l'effet d'un oiseau m'ayant adopté pour perchoir. C'est doux, frais, grisant…

Je cambre les reins et bande les muscles de mes cuisses. Une fois de plus, je suis surpris de la facilité avec laquelle je la soulève. Ses jupes qui volettent autour de moi me sont comme une caresse. Je voudrais la porter ainsi pour le reste de ma vie. Peut-être Fidel se dit-il la même chose, finalement.

Sans effort – et trop rapidement à mon goût –, je la ramène en haut des marches et l'assois près de sa marraine, le long du bastingage. Fidel, sans démontrer ni irritation ni satisfaction, sans exprimer ni douleur ni faiblesse, achève de nouer son bandage improvisé. Silencieux, il épie mes moindres mouvements et s'assure que je ne brusque pas sa protégée. À regret, je quitte le frôlement des tissus.

Pour masquer que j'ai rougi – un peu, mais quand même –, je me tourne vers le point de la balustrade où sont regroupés les officiers. Valdez, le nez en direction de la mâture d'où pendent drisses et étais, réfléchit tout haut, en français :

— Pourquoi les pirates s'éloignent-ils ? Ils savent que nous ne pouvons plus manœuvrer. Ils devraient pourtant nous canonner sans discontinuer !

— À cause du soir qui s'obscurcit, lui répond de Narvaez. Ils se mettent hors de portée en se disant que, demain, à la lumière, nous n'aurons pas pu nous écarter et ils pourront reprendre les hostilités.

L'ex-propriétaire de la *Santa Concepción*, déjà médiocre pilote, devenu capitaine de navire parce que, riche marchand, il avait les moyens de se payer un bateau, ne possède aucune notion militaire. Comme cela est arrivé fréquemment, six ans plus tôt, lorsqu'il naviguait avec Valdez, ce dernier lui retourne une moue de mépris. Si habitués à user de l'une ou l'autre langue, les deux hommes ne remarquent pas qu'ils échangent en français. Le *capitán* réplique :

— Ne dites point de lourderies. Ils savent que s'ils nous laissent disposer d'autant d'heures de répit, nous aurons le temps de raccommoder ce qui a été endommagé. Non, Mange-Cœur nous prépare une diablerie dont il a le secret.

— ¿*Pues, el timón?* s'informe de San Miguel à un *sargento* qui revient de la poupe.

— *Dentro de dos o tres horas, Excelencia. Será reparado.*

— ¿*Oyes?* demande Valdez à de Narvaez. Trois heures au plus et le gouvernail sera fonctionnel. Mange-Cœur ne peut permettre ça.

— Il vire! lance Isidro qui, à entendre son supérieur et de Narvaez échanger en français, utilise d'instinct la même langue. Voyez, *capitán*.

Par réflexe, nous nous tournons vers tribord où l'*Ouragan*, hors de portée de canons, brasse ses vergues et braque son safran pour bouliner bâbord amures, maintenant un cap identique à celui du *Palomero*.

— Il nous contourne, murmure Valdez qui comprend avant tout le monde. Mange-Cœur se garde en dehors de nos lignes de tir pour revenir nous harceler en remontant le vent.

— Éteignérons toutos nos loumiéres pour point qué loui, il nous distingué trop bién dans la *obscuridad*, réplique de San Miguel, une main sur sa cuirasse à la hauteur de la poitrine pour y retenir quelques rubans rebelles.

— Voilà exactement sa tactique, grince Valdez, mâchoires crispées, moins furieux de reconnaître la ruse habile de Mange-Cœur que de constater la lourdeur d'esprit de l'amiral. Obligés à rester dans le noir, il nous sera impossible de réparer. En allumant la moindre chandelle à la poupe ou dans les haubans, les pirates nous repéreront et canonneront.

— ¡ *Malhaya*! jure entre ses dents le commandant du *Palomero*.

— Mais alors, au matin…, entame de Narvaez sans oser terminer de préciser son appréhension.

— Les forbans auront beau jeu, à la lumière du jour, de nous bombarder sans merci, émet Rogelio, près de moi – ce qui me permet de noter, même sous les premières étoiles, la pâleur de son visage.

Booouuuummm!

Un fracas à l'étrave indique qu'un boulet de dix livres vient de rudoyer le taille-mer tandis que trois tirs de mitrailles, au moins, sectionnent de nouvelles manœuvres à la misaine.

— Ils ne nous laisseront aucun répit tant qu'il y aura de la lumière, souffle de Narvaez.

— Et à la proue, on ne peut point riposter, ajoute Isidro. Pas avec deux ou trois pierriers!

— Et là, il va pouger par notre hanche bâbord, toujours hors de portée de canons, explique Valdez, encore en français, les narines dilatées devant l'amiral. Ces maudits *luteranos* vont s'amuser à nous contourner ainsi tant qu'ils y verront clair et reprendront leur jeu au matin.

En jetant un œil vers Margarita, je constate que *doña* Filomena fronce les sourcils vers les anciens otages des pirates, apparemment fâchée que ses compatriotes usent entre eux de la langue de l'ennemi. Quand je reviens poser mon regard sur Valdez, je note qu'il m'observe avec une expression singulière.

— *Hay una manera para cambiar las cosas a nuestra ventaja*, dit-il à l'intention de l'amiral, mais sans me quitter des yeux.

Puis, afin que je puisse comprendre, il répète en français :

— Oui, il y a une façon de retourner la situation en notre faveur. Et c'est ce garçon qui nous y aidera.

— ¡ *No es posible !*
— ¡ *Claro que si !*

L'amiral plisse les yeux d'incrédulité, mais la mine assurée de Valdez est appuyée par les hochements de tête de confirmation de De Narvaez, Bares, Isidro et Rogelio. Le *capitán* tourne vers moi un sourire perfide accompagné d'une expression mêlée de dureté, de ruse et… d'amusement sinistre.

— Pas vrai, Gédéon, qu'en dépit de l'obscurité, tu peux estimer les déplacements et la position de l'*Ouragan* en fonction de ce que tu auras perçu de la seule lumière d'une salve ? Que tu peux aider les canonniers à envoyer un boulet de douze livres directement dans la cabine du capitaine ou dans une vergue ou dans la cible qu'on te choisira ?

Se servir de moi pour tuer les miens – enfin, je veux dire, les *anciens* miens ? Je reste sans voix.

— Eh bien ? Qu'as-tu à me regarder avec cet air stupide ? Tu es des nôtres ou pas ?

Valdez a fait un pas vers moi sans rien perdre de ce sourire étrange qui fait onduler sa moustache. Au milieu de sa mine cruelle, la couleur d'acier de ses prunelles prend tout son sens.

— N… non. Je ne peux point.

— Comment non ?

Je note les sourcils froncés de tous les Espagnols en face de moi, la courbe qui exprime l'irritation chez les ex-captifs, celle qui dénote une forte curiosité chez l'amiral. Fidel, qui a repris Margarita dans ses bras, et *doña* Filomena, remise sur pied, se sont avancés d'une semelle et tous trois me fixent avec autant d'intérêt que les autres.

— Je ne peux faire tirer du canon sur mon pè… sur le capitaine Sanbourg. Enfin, il m'a… Je lui dois beaucoup.

— Tu es avec nous ou contre nous ? demande Valdez avec une intonation menaçante, la main sur le pommeau de l'épée que le *capitán* López lui a donnée.

— Avec vous. Mais je ne peux point être contre…

— Contre les pirates? Tu es avec nous, mais tu laisserais les pirates nous hacher menu et les cannibales nous manger? Quel diable d'allié es-tu donc?

— Mais enfin, *don* Pánfilo, comprenez-moi. Mange-Cœur est mon père!

Cette fois, de San Miguel me renvoie le même regard courroucé que les autres. *Doña* Filomena elle-même, en dépit du fait qu'elle n'entend pas le français, semble avoir fort bien saisi ce que j'exprimais. Au milieu de toutes ces mines mécontentes et agressives, c'est toutefois l'aspect chagriné de Margarita qui me déstabilise le plus. Fidel, quant à lui, s'il a relevé la discussion en français, ne démontre aucune autre émotion que la curiosité.

— Ton père, répète Valdez, des bulles dè salive entre les dents. Je croyais pourtant que tu avais compris ta situation équivoque, que si tu es à demi cannibale par ta mère, tu es espagnol pour l'autre moitié. Que tu n'as rien hérité du pirate si ce n'est sa tolérance… et point par amour pour toi, mais pour celle qui t'a donné le jour.

— Je… je suis désolé, *don* Pánfilo… je ne peux… je ne peux combattre mes anciens…

Dans un chuintement de métal contre le cuir, il tire l'épée de son fourreau.

— *¡Pardiez!* Tu trahis!

— *¡No, capitán!* s'écrie Margarita.

À la mine catastrophée de la jeune fille se joignent les expressions exaspérées des ex-captifs, l'air ennuyé de De San Miguel et de López, la grimace mécontente de *doña* Filomena et une vague aigreur dans l'ondulation des plis frontaux de Fidel.

La pointe de la lame de Valdez se pose sur ma fourchette sternale, disposée à me percer la gorge.

— Tu choisirais la mort plutôt que de commander à nos artilleurs ?

— Je… J'ignore si… je…

Je m'étonne de constater que la raison qui m'amène à balbutier de la sorte est moins la peur que le fait de méconnaître la réponse. Il est même possible… oui ! Je crois que je préférerais être occis que de souffrir la honte d'avoir fait tirer du canon sur mon père ! Contre toute attente, au lieu de pousser son épée sur moi, Valdez effectue un arc de cercle avec sa lame pour placer la pointe en direction de… Margarita !

— Si je te demandais plutôt de choisir entre tes anciens amis et cette jouvencelle, que dirais-tu, alors ?

— *Don… don Pánfilo*, hésite *doña* Filomena, incrédule. *¿ Que hace Su Excelencia ?*

— *¡ Sargento !* lance Valdez à l'adresse de Bares. *El Negro*.

Sans un mot, sans même exprimer la moindre cruauté, répondant à un ordre désagréable, certes, mais nécessaire, le gradé tire un large coutelas de sa ceinture et s'avance vers Fidel. Ce dernier, dubitatif, convaincu sans doute que les Espagnols me bernent afin de m'obliger à accomplir quelque chose qu'il n'a pas tout à fait saisi, observe d'un œil sévère, mais calme, *don* Baudilio marcher vers lui.

C'est Margarita qui pousse un cri lorsque la lame, tenue d'une poigne habile, dans un clapotement de sang et de chair, pénètre la gorge du dévoué serviteur. Fidel s'effondre d'une seule masse, paupières arrondies, muet, ses bras toujours puissamment refermés sur Margarita.

— ¡*Dios mío!* échappe *doña* Filomena, une main sur la bouche, en voyant tomber l'Africain.

Un simple froncement de sourcils pour toute expression, de San Miguel demande :

— ¿*Don Pánfilo, eso es realmente necesario?*

— Soyez-en certain, Excellence, tout ceci est nécessaire, réplique Valdez sans regarder l'amiral, en laissant son épée suivre la tête de Margarita à mesure que s'écroule le colosse noir. Et plus crucial qu'il puisse paraître, car ce jeune prodige, notre unique chance, n'a point compris encore où se situe le salut de son âme. Comme ceux de qui il se réclame, il choisira une mort ignominieuse plutôt que de répondre aux impératifs de Dieu. Or, Dieu accepte que l'on tue en Son nom quand cela est justifié. Même si, pour cela, il faut envoyer dans son paradis, non point l'esprit d'un païen noir, mais la blanche conscience d'une Espagnole.

— C'é jousté, approuve l'amiral, quoiqu'en gardant les sourcils froncés.

— Aussi n'est-ce point en menaçant sa personne, mais celle d'un être cher, que nous convaincrons ce jeune drôle de collaborer.

— ¡*Don Pán... Pánfilo!* bégaie de nouveau *doña* Filomena. ¡*Su Excelencia, un... un caballero! No se atrevería a... a matar una...*

— Vous croyez, *doña* Filomena, que j'hésiterais à tuer une Espagnole pour combattre les ennemis des Espagnols ? demande Valdez en français puisqu'il s'adresse visiblement à moi plutôt qu'à elle. Vous m'imaginez incapable d'occire une innocente pour prouver à ce garçon que je ne plaisante pas ?

Et Margarita pousse un autre cri, mais plus strident, cette fois, quand la lame de Valdez, dans un mouvement sec et imprévisible, plonge profondément sous le sein gauche de *doña* Filomena !

22

*Quelque part dans les Bahamas,
nuit du 10 au 11 novembre 1571*

À bord de l'*Ouragan*, Berthon ordonne la mise à feu de huit canons qui crachent autant de boulets ramés. Ces derniers s'en vont détruire encore plus de cordages et d'espars autour de la misaine du vaisseau ennemi. Ensuite, avant de contourner l'Espagnol par le large hors de portée de ses batteries bâbord, Carabois fait arroser l'ennemi de mitraille et de verre pilé à l'aide de trois pierriers et de cinq canons supplémentaires. Mange-Cœur sait que, en mitraillant le *Palomero* de cette façon, aucun gabier sur le vaisseau de guerre, aucun charpentier, si énergique soit-il, ne peut grimper dans les haubans avec le dessein de réparer.

Sous la lumière d'une voûte constellée et d'un premier quartier de lune bas sur l'horizon, le galion des pirates creuse un profond sillon liquide surmonté d'écume, telles deux lèvres géantes qui ruisselleraient de bave en s'ouvrant dans un sourire cruel. Aux yeux

209

des hommes à son bord, la silhouette du *Palomero* décroît en se fondant dans la pénombre.

— Il tire !

Du bâtiment espagnol, la flamme simultanée de trois bouches à feu flamboie un instant, suivie de quelques étincelles et d'un éclair minuscule. Le grondement sourd des détonations ne parvient à l'*Ouragan* que plusieurs secondes après.

— Hé, hé ! Si ça les amuse de gaspiller leur pou…

Santiago, près de son capitaine, et entouré du Jésuite, de Nez-en-Moins et de plusieurs autres pirates, n'a pas le temps de terminer sa phrase. Il est interrompu par le juron de Deux-Poignards :

— Par le tibia de mon grand-père unijambiste ! Défiez-vous !

D'un index aussi minuscule qu'inutile, il désigne l'immensité de la voûte étoilée dans laquelle son œil de hibou a repéré trois lignes sombres.

— Où, par Mápoya ? Où ?

— Gare à bâbord, capitaine ! lance Deux-Poignards.

— Tous à tribord, vite !

Mais à peine Mange-Cœur a-t-il le temps de hurler sa recommandation que, l'un à la suite de l'autre, trois fracas de fer contre bois ébranlent le navire. Un craquement se fait entendre, étrangement fort pour la secousse produite.

— Mais… mais où ont-ils frappé ? s'étonne Nez-en-Moins.

— Youyou! éclate soudain la voix d'Urael près du gaillard de proue. Boulets tomber dans youyou!

— Les trois? questionne Mange-Cœur, stupéfait.

— Trois, oui, capitaine, répond Urael. Bancs et carreau youyou démolis, mais *Ouragan*, rien.

— Les dieux sont avec nous, échappe Grenouille en levant instinctivement les yeux vers les étoiles. Trois coups au but, mais là où ils ne peuvent faire mal.

— Les dieux ou…

Mange-Cœur ne termine pas sa phrase. Il s'appuie à deux mains à la lisse de pavois pour fixer le *Palomero*, au loin. Le Jésuite le rejoint à sa droite.

— Gédéon? murmure-t-il.

— Gédéon.

À la gauche de son capitaine, empoignant un gal-hauban du grand mât pour se pencher vers l'extérieur du bordé et regarder ses compagnons en face, Santiago dit:

— Hé, hé! En dépit de tout ce qui s'est passé, jamais Gédéon ne tirerait du canon sur nous. J'en mise mon âme, qu'elle brûle en enfer pour l'éternité, si je me trompe. Hé, hé!

— Tu risques fort de t'y consumer, réplique Mange-Cœur. Trois coups au but aussi précis, hors de portée… enfin, hors de portée normale, indiquent que les boulets ont tracé une trajectoire très haute et très courbe que seul le génie de Gédéon est en mesure de toiser.

— Hé, hé! Si Gédéon répondait aux désirs de ses nouveaux «amis», ce n'est pas dans le youyou qu'il aurait placé ses projectiles, mais – sauf ton respect, capitaine, hé, hé ! – dans ta cabine.

— Voilà où, moi, justement, je vois la main de Gédéon, rétorque le Jésuite. Il satisfait aux demandes de ses… amis, comme tu dis, mais sans nous causer de mal.

— Possible, grogne simplement Mange-Cœur.

Santiago relâche le galhauban et aperçoit Nez-en-Moins, à une semelle derrière. Ce dernier fait remarquer :

— En tout cas, en attendant, il nous tient à distance.

Il y a un long moment de silence entre les hommes, moment pendant lequel ne s'entendent que le glissement des pas sur le pont, le craquement d'un gréement, la respiration des voiles, le heurt des vagues contre le taille-mer…

— Ils vont profiter de la nuit pour réparer et, au matin, ils seront en mesure de manœuvrer, insiste Nez-en-Moins.

— Si, par quelque mensonge ou fourberie, ils ont réellement convaincu Gédéon d'agir à titre de maître canonnier, le combat sera féroce, avance le Jésuite.

— Hé, hé ! Je vous dis que je ne pense point que Gédéon…

— Par Mápoya !

Chacun scrute l'horizon ou le ciel avec intensité, croyant que le juron de Mange-Cœur annonce quelque nouveau péril. Il faut bien une seconde à chacun pour se rappeler que, sans fulguration visible des canons du *Palomero*, aucun boulet ne peut avoir été tiré.

Lionel se retourne pour faire face à la proue, là où, sur ses bossoirs, pendouille le youyou. L'angle est cornu, car une saisine s'est détachée. Le pirate souffle à mi-voix :

— Et si Gédéon avait voulu nous faire parvenir un message ?

— Plaît-il ? s'étonne le Jésuite, qui n'est pas certain d'avoir bien entendu.

Mange-Cœur pivote de nouveau, pour faire front à ses hommes, cette fois, la moustache frétillante telles les ailes d'un poisson volant.

— Le youyou… point si benêt, notre Gédéon, dit-il, mystérieux.

— Explique-toi, capitaine, on n'y entend rien, réplique le Jésuite.

— Gédéon nous invite à quitter l'*Ouragan* pour aller envahir le *Palomero* de nuit.

— À bord de chaloupes ? questionne Nez-en-Moins.

— À musse-pot, oui. En profitant de l'obscurité. La lune sera couchée d'ici une heure. Il faut voir si le youyou est toujours en mesure de tenir la mer. On peut aussi user des *canobes* que les Kalinagos transportent sous le gaillard et, au pis, il est possible à dix hommes de flotter accrochés à une antenne ou à un boute-hors et, de ces espars, c'est bien le diable si nous n'en avons point trois ou quatre de réserve dans la cale.

— Hé, hé ! Je confirme. On a ce qu'il faut. Hé, hé !

Mange-Cœur, pour exprimer sa satisfaction, claque ses paumes l'une contre l'autre. Il poursuit :

— Ensuite, on grimpe la muraille ennemie et on fond sur les Espagnols tandis que ces bélîtres nous croiront toujours retenus au large.

— Mais les armes à feu ? proteste Nez-en-Moins. Irréaliste d'espérer ne pas mouiller la poudre. Ceux qui nageront accrochés aux espars…

— Bah ! l'interrompt Mange-Cœur. Nos Kalinagos et Africains manient mieux l'arc, l'arbalète et la sagaie que n'importe quel guignol cuirassé, sa pique et sa hallebarde. La surprise sera notre meilleure alliée.

— L'idée me plaît, émet le Jésuite.

— À moi aussi, hé, hé ! À moi aussi, se réjouit Santiago en frottant ses mains l'une sur l'autre.

— Moi, content pareil que vous, lance soudain la voix d'Urael que personne n'a vu approcher et qui écoute depuis un moment. Ruses caraïbes toujours meilleures que tactiques des Blancs. Capitaine bien inspiré.

Mange-Cœur sourit, mais dès qu'il se détourne de ses seconds pour les entraîner avec lui en direction du youyou, sa moustache reprend son pli coutumier, sévère et froid. C'est que, en dépit de ses propres affirmations, un doute est resté dans son esprit.

Gédéon a-t-il réellement tenté d'envoyer un message à son père ou, en expédiant trois boulets qui visaient un même point bien précis, a-t-il simplement manqué sa cible sur l'*Ouragan* ?

23

Quelque part dans les Bahamas,
nuit du 10 au 11 novembre 1571

Margarita est sous le choc. Adossée aux balustres de la rambarde devant la porte de la cabine, elle hoquette plus qu'elle ne sanglote, le regard fixé devant elle, sans plus bouger.

Les corps de sa tutrice et de son serviteur ont été placés l'un près de l'autre le long du bastingage, au pied de la dunette. On ne les a toujours pas balancés à la mer, peut-être pour mieux m'imprégner de la volonté inflexible de Valdez, peut-être aussi parce qu'un prêtre, à leurs pieds, administre encore quelque sacrement. En fait, il se consacre surtout à *doña* Filomena, jugeant Fidel trop peu digne des grâces du Dieu des Blancs.

— Margarita… Margarita…

Elle ne semble pas m'entendre et sa détresse est si manifeste, si intense, que je n'ose plus la brusquer. Je me laisse entraîner par deux solides piétons qui m'amènent aux affûts de bâbord.

J'estime la distance de l'*Ouragan* en regard du *Palomero* et je fais modifier l'angle de trois canons sur la batterie du tillac. En compagnie du maître artificier espagnol – qui me reluque d'un air incrédule –, j'attends que le navire de mes compagnons pirates rejoigne le point qui, selon mes calculs, me permettra de l'atteindre.

À l'intention de Valdez qui ne se tient pas loin de moi, je ne peux m'empêcher de protester :

— De cet éloignement, quand bien même je parviendrais à toucher le galion, mes boulets ne pourraient faire grand mal.

— Je te conseille d'oublier le bordage et de bien viser la cabine de Mange-Cœur, a grincé l'officier en appuyant le plat de sa lame contre ma joue. ¡*Pardiez!* Ne m'offre point l'occasion de réaliser ce dont je rêve depuis six ans et de découper un pirate, ici même sur…

— ¡*Capitán! ¡Basta!*

L'amiral Honorato Acón de San Miguel, narines dilatées, un pli de dégoût sur les lèvres, signifie à son subalterne qu'il a abusé de la latitude octroyée. Le temps semble venu, pour lui, de reprendre l'entièreté du commandement.

Dans cette atmosphère tendue, je scrute la lointaine et diffuse silhouette de l'*Ouragan*, espérant ne pas la perdre avant qu'elle ait atteint l'endroit prévu pour la mise à feu des canons. Je repère une étoile qui, à cet instant fatidique, sera masquée une seconde par le grand mât de hune.

Contrairement à ce que pense Valdez, trop d'impondérables m'interdisent de placer les boulets avec certitude sur une position aussi précise que la porte ou les fenêtres de la cabine. À peine puis-je escompter frapper un gaillard plutôt qu'un autre, et encore! Le vent, la trajectoire souvent erratique des projectiles – qui ne sont point parfaitement ronds –, le degré d'humidité dans la poudre, les irrégularités sur les parois internes des fûts, tout, tout, tout peut concourir, à cette distance, à dévier de la cible.

J'espère seulement que les miens... – les *miens*, je ne peux m'empêcher de me croire toujours pirate, toujours d'Anahiville, en dépit des belles paroles de Valdez, en regard surtout de cette trahison dont il s'est déshonoré envers Margarita, envers *doña* Filomena qui, pourtant, avait réclamé et obtenu de lui sa protection, une promesse faite sur la Bible – j'espère que les miens, dis-je, comprendront, dans la volée que je leur enverrai, qu'ils ne peuvent s'approcher du *Palomero* sans risquer d'être touchés plus sévèrement. Je présume de plus qu'ils saisiront, qu'ils devineront! que je procède contre ma volonté, que j'étais disposé à donner ma vie pour n'avoir pas à les combattre.

Mais il y a Margarita.

Oh, Margarita!

Faut-il que je t'aime pour user de mes dons divins contre mon propre père!

— ¡ *Tres disparos en el blanco!*

Facile à interpréter pour moi : trois coups au but ! Le cri vient de la vigie à la hune de la misaine. Un garçon qui, selon toute vraisemblance, bénéficie d'une vue égale à celle du meilleur faucon.

— ¿*Dónde en el objetivo*? s'informe Valdez en prenant le pas encore une fois sur de San Miguel. Où, dans la cible ?

— ¡*No es posible afirmar con certeza, Excelencia*! répond le guetteur.

Celui-ci, par après, y va d'une longue phrase que je ne peux traduire, mais où il semble présumer que les boulets ont atteint le navire puisqu'il n'a pas vu de gerbe d'eau dans la mer. Il prétend que, le cas échéant, la lumière de la lune aurait fait scintiller la giclée. Enfin, quelque chose comme ça.

Mange-Cœur, mon père, mon *vrai* père, pas celui qui a engrossé ma mère par faveur, mais celui qui l'a aimée, profondément aimée, qui m'a gardé auprès de lui pour cette ressemblance que j'ai avec elle, pour ce souvenir heureux que je représente, pour cette moitié de moi qui vient d'elle et en dépit de la seconde moitié qui vient de son pire ennemi, mon père, donc, le pirate cannibale, a compris le danger que je représente pour lui et les miens.

Il a fait mettre l'*Ouragan* en panne hors de portée et allumer toutes les lanternes possibles sur les boute-hors. La lune maintenant disparue, les étincelles jaunasses de l'huile embrasée fondent leur éclat au scintillement seul des étoiles.

— Il nous nargue, grince Bares à son *capitán*, mais en français, comme pour me baigner un peu du mépris qu'il nourrit envers Mange-Cœur. Il nous engage à le toucher là où il est.

— Non, réplique Valdez en étirant un peu la syllabe et en nasillant. Il veut seulement nous aviser qu'il a compris que nous obligeons son fils à user de ses talents à notre avantage. Il tient à le protéger en démontrant qu'il ne nous menace plus. N'oublie point que ce Mange-Cœur, tout diable qu'il est, a aussi ses faiblesses.

Tant que les feux de l'*Ouragan* continuent de briller au loin, les Espagnols se risquent à éclairer leur propre galion, surtout à la misaine et à l'arcasse, là où charpentiers et gabiers s'affairent à réparer ce qui a été endommagé par les boulets ramés et la mitraille. Vers deux heures du matin, en dépit des coups de marteau à l'étambot et des voix fortes dans les haubans, mais rassurés par la passivité des pirates, plusieurs soldats parviennent à trouver le sommeil sous les gaillards ou dans les entreponts.

Valdez et de Narvaez partagent une couche avec les officiers à l'intérieur du château de poupe. Bares, Isidro et Rogelio sont allés rejoindre leurs égaux par la grand-rue.

L'amiral Honorato Acón de San Miguel, embarrassé depuis le meurtre de *doña* Filomena, a évité le voisinage de Valdez. Pris de pitié pour Margarita, il a tenté de la convaincre d'accepter sa cabine personnelle tandis que lui resterait sur le pont « touté la nouit, si necesario, lé temps qué vous vous réposiez », mais en vain. La jeune fille, visage fermé, a refusé de s'éloigner des corps de sa tutrice et de son serviteur. Ces derniers, étendus le long du bastingage de la dunette, les pieds de *doña* Filomena au-dessus de la tête de Fidel, les doigts croisés sur l'abdomen, sont veillés par *Fray* Donato, un franciscain sévère engoncé dans une bure de laine grossière. Le prêtre du bord a placé un petit crucifix sur la poitrine des cadavres et prie sans discontinuer, menton sur ses mains jointes.

Je n'ai pas sommeil et n'irai pas dormir. Je suis assis sur mes talons, genoux à terre, auprès de Margarita. Je n'ose lui adresser la parole, car ses prunelles – ravagées, mais sèches depuis le geste de Valdez –, sans arrêt, vont des morts aux étoiles, des étoiles aux morts, comme à la recherche de leurs âmes. Je serais malvenu de la tirer de son recueillement pour la ramener dans un monde que, de toute manière, ont quitté ceux qu'elle aime.

J'ignore aussi à quel accueil je suis en droit de m'attendre si elle daignait s'occuper de moi. Me considérerait-elle comme responsable du comportement de Bares et de Valdez ? Me reprocherait-elle mon hésitation à répondre aux injonctions du *capitán*? Ma tiédeur à frapper mes anciens compagnons? Ma persistance à conserver mes sentiments filiaux envers Mange-Cœur – ou, du moins, ma difficulté à m'en défaire?

Margarita, soudain, en levant le front vers le zénith, hoquette sourdement. Au même instant, ses yeux se couvrent de larmes. Après des heures de retenue, son esprit accepte de renoncer au combat contre l'inéluctable réalité et s'abandonne au chagrin. Ses joues s'embuent d'un flot luisant aux couleurs des lanternes, ses épaules tressautent et une moue frémissante la défigure. Elle pleure enfin.

Je suis si absorbé à détailler chez elle les manifestations de sa douleur que je mets une ou deux secondes avant de constater qu'elle a posé les prunelles sur moi.

— Gédéon…

Son ton est-il de reproche ou d'amitié? Mêlé qu'il est aux sanglots, il m'est difficile de l'interpréter…

— Gédéon, je t'en prie, reprend-elle en me présentant les mains. En dépit des convenances, de ce qu'en pensera ce prêtre, Gédéon, serre-moi.

— Vous… te serrer?

— Serre-moi contre toi.

Et, au-dessus de ses jambes mortes, elle oblique le tronc afin de se rapprocher de moi. Pendant que ses doigts se croisent derrière mon cou, mon bras s'enroule autour de sa taille. Je l'amène contre ma poitrine et, à l'instant où je crois pouvoir goûter à un tendre répit, je suis distrait par un mouvement singulier à la lisse de pavois.

Au-dessus du bastingage, brusquant les constellations, mais dans un silence étonnant, apparaissent les premières têtes des pirates.

24

Quelque part dans les Bahamas,
nuit du 10 au 11 novembre 1571

Les premiers Espagnols touchés s'effondrent avec une singulière absence de son. Leurs cris de douleur sont étouffés par les flèches qui les pénètrent profondément dans la gorge ou les poumons. Deux s'abattent contre un ramas de cordages, deux autres se renversent à demi contre un râtelier, un gabier reste suspendu à ses haubans… Le bruit sourd d'une fesse choquant le plancher ou d'un dos heurtant un mur s'entend bien çà ou là, mais au milieu des travaux et du grincement des gréements, qui s'en soucie?

Ce n'est que lorsqu'une arme d'hast tombe sur le pont avec fracas et qu'un dormeur voisin se réveille en sursaut que l'alarme est donnée.

— ¡ *Piratas !*

L'appel a l'effet d'une canonnade.

De toutes les écoutilles, de l'abri des cagnards ou de sous les gaillards surgit un flot de soldats mi-éveillés, mi-abrutis, armes en main, cuirasses lacées – car ils dormaient habillés – et, pour certains, morion sur le crâne.

— À mort, les Espagnols !

— ¡ *Santiago y cierra, España* !

Margarita pousse un cri à la seconde même où éclatent les premiers tirs de pistolets et les premiers heurts des sabres contre rapières. Autour de nous, sur la dunette, près des corps de Fidel et de *doña* Filomena, et derrière *Fray* Donato, surgissent les silhouettes sombres d'une dizaine d'Africains.

— Gédéon ! Par les moustaches de ma grand-mère ! Je suis content de te revoir, fadrin. Ne reste point çà !

Deux-Poignards, après avoir repoussé le curé – qui déguerpit – , me saisit un poignet pour m'inviter à me relever.

— Non ! protesté-je. Il y a Margarita. Je ne peux la laisser...

Quatre Noirs passent en courant de chaque côté de nous afin de rejoindre le tillac...

— Salut, Gédéon !

— Ça va, Gédéon ?

— Heu'eux de te 'evoir, gamin !

... et se désintéressent de nous pour plonger dans la mêlée.

— Allez ! insiste Deux-Poignards. Quitte le navire ! Il y a un *canobe*, en bas. Va nous y attendre !

— Il a raison ! lance Margarita en appuyant sur ma poitrine pour me repousser. File !

— Pas sans toi ! Je ne…

Une balle perdue, tirée par un pistolet, m'interrompt en fracassant le bois d'une jambette. Par réflexe, je lève une main à la hauteur de mon visage avant de revenir ceindre la taille de Margarita.

— Accroche-toi à mon cou !

— Non !

Deux-Poignards, d'un geste impatient, empêche la jeune fille de s'incliner vers moi. Il retire mon bras, glisse le sien à la place et, sans le moindre effort, se redresse de toute sa taille, Margarita sur l'épaule – car il n'a pas la même délicatesse que Fidel.

— Par ici !

Il nous entraîne au niveau de la bouteille tribord où deux autres pirates enjambent le pavois. Des Kalinagos… dont un porte des jupes de femme.

— *Máboüica*, Gédéon ! lance Maoualie. Bonjour, Gédéon.

— *Áoere*, Gédéon ? s'informe Ocananmanrou. Ça va, Gédéon ?

Puis, ils filent aussi vite que les Africains avant eux. C'est à croire que personne n'a fait attention à ma trahison, que chacun me considère comme une victime de la fugue qui a conduit à tout ce désordre !

Un grappin est fermement retenu à une lisse du bastingage. Deux-Poignards s'avance sur le parapet et s'adresse à d'autres pirates qui, visiblement, s'attaquent à la muraille.

— Gare, là-dessous ! J'amène du monde.

Margarita toujours sur son épaule, il s'élance à deux mains le long du câble. Je me penche au-dessus du pavois. Dans la lumière agitée des vagues qui reflètent les lanternes à l'arcasse, je distingue un *canobe* et quatre silhouettes floutées par la poudre de *nicolai* et le rocou.

— Place, j'ai dit ! grogne Deux-Poignards en repoussant les guerriers kalinagos qui retiennent l'extrémité du cordage. Gédéon, tu viens, oui ?

— Quoi, Gédéon ? s'étonne une voix que je ne reconnais pas sur-le-champ. Lui, traître ! Lui, point bienvenue.

Bouche-Trou ! Le maître calfat. Évidemment, puisqu'il ne m'a jamais tenu en odeur de sainteté, il va de soi qu'il ne saura démontrer autant d'indulgence que ses compagnons.

Deux-Poignards dépose Margarita au fond du *canobe*. La frêle embarcation roule dangereusement dans le mouvement des vagues. Çà et là, je distingue plusieurs canots, une chaloupe, des espars… La muraille du galion, aussi loin que porte la vue, grouille de pirates, Blancs, Nègres et Amériquains confondus.

— Holà, vous autres ! grince Deux-Poignards lorsque, en se redressant, il constate que les Kalinagos se sont engagés sur le câble tandis que je suis toujours en haut. Vous auriez pu attendre que Gédéon descende, par les grelots de mon aïeul !

Incapable de juguler son impatience, il s'élance à la suite des guerriers caraïbes, mais pas le long du cordage, en grimpant directement sur les virures des préceintes. Il atteint le pavois au même instant que Bouche-Trou, à la tête de ses compagnons.

Je recule d'un pas pour permettre à tout ce monde d'enjamber le bastingage. Du coin de l'œil, j'aperçois trois, peut-être quatre Espagnols qui, rapières au vent, biscaïenne dans la main gauche, se précipitent dans notre direction.

— Toi, Gédéon! Traître!

Le maître calfat, dès qu'il a mis un pied sur le plancher de la dunette, soulève son *boutu* au-dessus de mon crâne, prêt à le fracasser. Il ignore complètement les Espagnols.

— Toi, misérable! Toi, mauvais fils! Toi…

Je n'ai pas le temps d'appliquer contre son bras une méthode d'autodéfense apprise d'Urael. Je vois le Kalinago s'envoler littéralement dans les airs. Il balance une seconde devant moi en portant sa main libre à sa chevelure. Nul besoin de distinguer la puissante louche noire de Deux-Poignards pour comprendre que, une fois de plus, comme il en a l'habitude depuis que je suis mousse, mon ami africain prend ma défense.

Bouche-Trou tournoie à deux pouces du plancher avant d'être catapulté avec violence contre un premier Espagnol. Rapière et casse-tête tombent sur le pont, entravant un instant la course des autres soldats.

Ils sont bien trois. Les Kalinagos en viennent immédiatement à bout, leurs sagaies ayant une meilleure portée que les épées.

— *Máboüica*, Gédéon ! me saluent les Amériquains avant de se précipiter à leur tour là où se trouve le gros de la mêlée, en bas du gaillard.

Bouche-Trou reste étendu par-dessus l'Espagnol qu'il a heurté, assommé – ou empalé sur la biscaïenne, qui sait !

— Allez, Gédéon ! s'exclame de nouveau Deux-Poignards en dégainant dans chaque poing les lames qui lui ont valu son surnom, avide de se jeter lui aussi dans la bataille. Disparais pour protéger ta petite chérie !

Et il s'élance à la suite des autres, persuadé que je vais obtempérer, que je vais descendre le long du cordage jusqu'au *canobe*. Mais mon intention est bien différente.

J'ai beaucoup à me faire pardonner. Puisque Margarita est en sécurité, mon seul souci est d'apporter renfort à mes compagnons. Sur le sol, je récupère une biscaïenne – que je glisse dans ma ceinture à l'arrière – et une rapière dont la garde et la poignée, par quelque grâce divine, paraissent moulées à la forme de ma main. Je grimpe sur un petit toit qui fait saillie au-dessus de la porte de la cabine des officiers.

De cette position privilégiée, je peux mieux apprécier le déroulement de la bataille. Il y a des luttes partout : sur la dunette, le tillac, le gaillard de proue, à l'entrée des écoutilles… Les lames dépècent l'obscurité en arabesques flamboyantes et, quand l'acier rencontre l'acier, des étincelles se mêlent à la voûte céleste, semblables à des étoiles filantes. Parfois, la détonation d'une arquebuse ou d'un pétrinal enterre les claquements secs, les ahans et les cris, telle la percussion lugubre d'une musique plus sinistre encore, une sorte de toccata de la mort. Il est trop tôt pour déterminer qui l'emporte, car si les pirates ont profité de la surprise pour prendre un avantage rapide, les Espagnols, aguerris, se sont vite ressaisis.

Des cordages pendent de partout, certains tendus, certains lâches, rompus par la mitraille et les boulets ramés, ou simplement détachés par les matelots au cours des réparations. La vergue du petit hunier, cassée par une salve, a été démontée de son collier de suspente pour être raboutée à une nouvelle portion de bras. La pièce de bois en attente dodine à un câble, accrochée à une balancine raidie telle une corde de luth. Les Espagnols, pressés par l'attaque, l'ont abandonnée ainsi en équilibre. Avec cette manière d'estimer qui est mienne, je note un danger que les gabiers n'ont pas vu ou n'ont pas eu le temps de corriger : si une drisse passée par-dessus les gambes de hune de misaine et nouée de façon temporaire au râtelier de bâbord était sectionnée, le poids transféré ferait éclater la balancine, une pantoire glisserait, et le madrier, entraîné par l'écoute qui a permis de le hisser, devenu un véritable bélier, viendrait se fracasser contre l'habitacle des officiers en une virgule quatre-vingt-deux seconde.

Voilà qui agiterait le sommeil de l'amiral s'il lui était possible de connaître ce détail.

Au milieu du fouillis de cordages qui n'est pas sans rappeler les lianes d'une forêt touffue, un à un, je reconnais mes anciens compagnons. Aux Deux-Poignards, Ocananmanrou et Maoualie s'ajoutent Santiago, Grenouille, Berthon, le Jésuite, Carabois, Nez-en-Moins, N'Délé… Je retrouve aussi Rogelio, Isidro et Bares. Tous trois gisent déjà sur le sol, morts qui d'une flèche, qui d'un coup d'épée, qui la poitrine défoncée d'un coup de *boutu*.

Soudain, mon cœur s'emballe. Dans ce pirate exalté que je distingue non loin du gaillard d'avant, dans ce Blanc vêtu à l'amériquaine avec un simple carré de cuir corroyé à la hauteur du sexe, dans sa manière de frapper avec son fer nerveux et vigoureux, dans sa silhouette à la fois gracieuse et musculeuse, dans ces tatouages au rocou dont il s'est paré, je reconnais mon père !

— *¡ Por la Madre Santa !*

Sous moi, émergeant de la cabine, l'un avec chemise sur ses cuisses nues, l'autre sans chemise mais en haut-de-chausses, les deux suivants sans rien du tout, je vois surgir López, Valdez, de Narvaez et de San Miguel. Échevelés, yeux hagards, *don* Pánfilo, la rapière au poing, *don* Esteban, un pétrinal à la main, *don* Arcángel et l'amiral, une escopette chacun, les quatre officiers supérieurs se dispersent le long de la rambarde.

Le *capitán* Valdez se lance dans l'escalier pour rejoindre le pont, l'épée pointée droit devant. Les trois autres posent le canon de leur fusil sur la tablette d'appui et cherchent une cible. Aucun n'a remarqué ma présence au-dessus d'eux.

Celui qui se trouve le plus à ma portée est le *capitán* López. Je me redresse sur mes pieds, la rapière brandie haut, puis me laisse tomber en abattant la lame. Avant que l'officier ait le temps de mettre le feu à la poudre, son crâne s'ouvre en produisant un bruit sec. Mon fer pénètre si bien dans l'os que je ne peux le retenir en dépit de sa poignée ajustée à ma main. López frappe le plancher du menton, l'épée toujours plantée dans l'occiput.

— ¡*Rediós!*

Nu comme un Amériquain, le gros de Narvaez pivote en orientant son escopette dans ma direction. Un seul pas nous sépare ; je bondis sur lui en m'assurant d'abord, à deux mains, de dévier le canon de son fusil. Il se contraint à ne point appuyer sur la détente, le temps de me repousser pour viser à nouveau. Nous nous débattons un moment, quatre mains agrippées à l'espingole, mais je constate qu'il me sera bien difficile de venir à bout de mon opposant, ne serait-ce qu'à cause de son poids qui le favorise.

Je le frappe à coups de pied sur les tibias, sans lâcher l'arme, mais le diable n'est pas si fragile et c'est à peine s'il grimace quand j'ai pourtant l'impression de l'avoir bien cogné. Son visage se couvre de sueur et ses yeux me renvoient des éclairs de haine.

— ¡*Rediós!* répète-t-il. Sale petit !

Une fraction de seconde, il paraît à la fois surpris et irrité par je ne sais quoi et ce détail m'échapperait s'il n'y avait ce tic qui agite son œil. Quand je comprends, j'ai peur qu'il ne soit déjà trop tard.

Sans même prendre la peine de me retourner, je cambre le dos dans la plus profonde arcure, à la limite de la cassure – me semble-t-il –, pieds levés dans les airs, mains toujours agrippées au fusil.

Je ne ressens pas une douleur, mais une vague brûlure à la hauteur du rein gauche. Aussitôt, je devine être appuyé contre le fil coupant d'une épée. Je m'empresse de m'en éloigner en repoussant l'espingole contre de Narvaez et je tombe sur les genoux. Le temps de me redresser, je vois le gros Espagnol, nez incliné sur son ventre, yeux arrondis par l'incrédulité, découvrir la rapière de Valdez plongée dans ses chairs jusqu'au fort du fer.

— ¡ *Por la Madonna* !

L'amiral de San Miguel qui, penché sur la rambarde, cherchait toujours une cible à coucher en joue, tourne une expression ahurie sur de Narvaez qui plie les jambes. L'escopette bascule entre les deux balustres.

— Sale païen, rejet de cannibale !

Valdez !

Valdez qui, en m'apercevant sauter sur López, a remonté les marches. Valdez qui, pendant ma lutte avec de Narvaez, a pensé planter sa lame dans mes reins. Valdez qui n'a pas anticipé mon réflexe et a fermement enfoncé son fer dans les entrailles de son ex-compagnon de captivité.

— Fils de prostituée indienne! écume-t-il, la bouche tordue, alors qu'il retire l'épée du ventre de De Narvaez. Graine de pirate!

Il ne démontre aucun signe d'apitoiement quand, entre lui et moi, l'ancien capitaine de la *Santa Concepción* tombe sur les rotules, doigts crispés sur sa plaie giclant le sang. La seule émotion qu'il témoigne est une vague irritation lorsqu'il se voit contraint de faire deux pas de côté pour contourner l'agonisant dans l'intention de me rejoindre.

— ¡Capitán Valdez! ¡Por la Madonna! ¿Qué ha hecho?

Le corps nu de De San Miguel tremble de toute sa graisse tandis que son regard va de Valdez à de Narvaez. La mèche de l'espingole dans ses mains fume à un pouce du bassinet, le canon orienté vers le ciel.

— ¡Capitán Valdez! ¡Déjelo este!

Mais Valdez n'entend pas son supérieur. Il a trop de haine accumulée depuis six ans, de rancœur et d'ambition de vengeance pour se laisser détourner par quelque supplication, viendrait-elle d'un amiral. À ses yeux, je symbolise les frustrations, les privations, les fatigues, les douleurs, les dégradations et les malveillances dont il a été victime tout le temps de sa captivité. Si j'ai été son outil de délivrance, je n'incarne pas pour autant la liberté.

Et je ne peux espérer nulle grâce.

Je m'apprête à détaler par le côté opposé de la rambarde, mais d'un rapide coup d'œil, je vois que quatre pirates et soldats s'y livrent déjà bataille et qu'il ne me serait pas possible de passer. De toute manière, l'œil noir et menaçant de l'espingole de De San Miguel est tourné vers ma tête. Le gros amiral souffle comme une baleine.

— Toua, tou né bougé pas ! *Capitán* Valdez, yé vous ordonné dé déscendré vous battré sour lé…

— Valdez !

Le cri a tonné pis qu'une salve simultanée de toute une batterie. De San Miguel a si bien sursauté que, pour un peu, il mettait le feu au pulvérin de son arme et me faisait exploser la cervelle. Valdez, d'un seul mouvement, pivote sur ses talons et décrit un arc de cercle de cent soixante-seize degrés avec sa lame. Au milieu des marches de l'escalier, fourreau de son épée croisant sur sa poitrine nue, muscles des bras et des cuisses tendus, narines dilatées, lèvres si pincées qu'elles se fondent dans la ligne de ses moustaches, fer de Tolède au poing et tisons dans les prunelles, arrive Mange-Cœur, le redoutable forban des mers mangeur de chair humaine !

Mon père !

— Valdez ! Affronte la véritable source de tes malheurs et éloigne-toi de… mon *fils* !

Don Pánfilo n'a pas besoin de longtemps pour se rappeler qu'il n'est pas de force à se mesurer au maître d'Anahiville. Pas à l'escrime. Mange-Cœur est habité, comme on dit dans le jargon des bretteurs, du « senti-ment du fer ». Il possède un talent supérieur pour anticiper les coups et les fausses attaques de ses adver-saires, et pour feinter à son tour en se fendant de bottes imparables. Depuis qu'il a mon âge, m'a-t-on dit, nul ne s'est montré assez adroit pour battre mon père en duel. Surtout pas un prisonnier qui, depuis six ans, n'a pas tenu une épée dans ses mains.

Et le *capitán* Valdez, tout orgueilleux et rogue qu'il soit, n'est pas assez bête pour l'ignorer.

— *¡Excelencia! ¡Su ayuda!*

Il se fond dos à la porte de la cabine afin de dégager une ligne de visée pour l'espingole de l'amiral de San Miguel.

— *¡Fuego, Excelencia! ¡Mate a este!*

Mais au lieu d'appuyer sur la détente, *don* Honorato relève de nouveau son arme vers le ciel en poussant un glapissement pareil à celui d'un chiot qu'on botte.

— Ne répondez point à cette supplique, Excellence. Ça vous ferait très mal.

C'est moi qui ai parlé. J'ai profité des trois secondes de confusion provoquée par l'arrivée de mon père pour tirer la biscaïenne de ma ceinture, me précipiter dans le dos de l'amiral et lui plaquer la pointe de ma lame non pas entre les omoplates ou sur la nuque, mais là où me le permet son absence de vêture… entre les deux fesses.

— Avec ma dague tenue de la sorte, Excellence, je ne peux point vous tuer, mais si vous gardez votre escopette entre vos mains, ou si un de vos soldats qui approchent là-bas… voyez-les… Si un seul parmi eux, dis-je, s'approche ou même, si l'un parvenait à m'abattre de loin avec son arquebuse, je n'ai besoin que d'une seconde, Excellence, une toute petite seconde avant de mourir, pour vous empêcher de chier pendant des semaines.

25

Quelque part dans les Bahamas,
aurores du 11 novembre 1571

L'amiral Honorato Acón de San Miguel, les fesses serrées sur la lame de la biscaïenne, laisse son espingole tomber sur le sol et, d'un geste vif, arrête les trois soldats qui, en s'attaquant aux premiers degrés de l'escalier, s'apprêtaient à lui porter secours. À cet instant, j'ai beau scruter le visage de mon père pour y déchiffrer ses sentiments, ses traits – aux trois quarts masqués de poudre de *nicolai*, il est vrai – n'expriment que la rage accumulée envers le *capitán* Pánfilo Valdez y Melitón.

— En garde !

Mange-Cœur fait un pas supplémentaire vers l'ex-prisonnier. Il se positionne en tierce, une garde classique, épée levée, main en pronation.

— ¡*Soldados, atacad por detrás* !

Valdez refuse carrément l'assaut en retraitant de deux semelles et révoque l'ordre de De San Miguel en exigeant des militaires qu'ils fondent sur mon père par l'arrière.

— ¡*No!* s'exclame *don* Honorato en sentant augmenter la pression de ma dague contre son anus et couler le mince filet de sang le long de ses cuisses. ¡*No obedeced al capitán!*

Mange-Cœur jette une œillade par-dessus son épaule, mais les soldats n'ont pas bougé. Valdez, cependant, en profite pour lancer sa lame devant lui à la manière d'une sagaie. Mon père pare facilement la manœuvre d'un simple mouvement du poignet. La rapière de Valdez disparaît au-delà de la balustrade.

Cet instant supplémentaire, toutefois, a suffi à l'officier pour plonger sur l'escopette aux pieds de De San Miguel et, un genou au sol, pointer le canon en direction de mon père. Je pique un peu plus la peau de l'amiral.

— ¡*Capitán!*

Mais Valdez est sourd. En une fraction de seconde, je saisis que si j'abandonne de San Miguel pour bondir sur *don* Pánfilo, je perds l'avantage sur l'amiral, qui commandera à ses hommes d'attaquer mon père. Je perds le seul atout qui nous permettrait de faire cesser les combats et gagner la bataille.

En tournant la tête vers le pont, je distingue Urael près du râtelier de bâbord à hauteur de la misaine. Il nous regarde et a déjà tout compris de ce qui se passe sur la galerie en face de la cabine. Il n'a pas son arc pour tenter d'atteindre Valdez, il n'a que son poignard dans les mains.

— Urael !

L'Amériquain fixe ses prunelles sur moi, indiquant que, dans le tumulte des affrontements, il m'a entendu.

— La drisse devant toi ! Coupe la drisse !

J'ai parlé en caribe pour intriguer Valdez, retenir son doigt une seconde de plus sur la détente. Le Wayana, quant à lui, ne se pose pas de question. D'un geste vif, en tournant à peine les yeux, il sectionne le cordage. Incontinent, la balancine déjà tendue à l'extrême éclate en faisant vibrer les gambes de hune. La pantoire, qui ne servait qu'à fixer momentanément le nouveau bras de vergue, glisse comme prévu et la pièce de bois, n'étant plus maintenue que par l'écoute ayant permis de la hisser, s'élance dans le vide.

Je la vois accomplir une trajectoire bien ronde, un bel arc de balancier, exactement dans les temps et espace calculés par mes estimations.

Je reviens poser les yeux sur Valdez et le *capitán* a réagi comme je l'ai espéré : en s'inquiétant de l'ordre incompréhensible que j'ai lancé à Urael, en s'arrêtant l'instant nécessaire. Quand l'officier espagnol distingue dans la mâture noyée d'ombres le vague mouvement déclenché par la drisse rompue, reconnaît le bélier improvisé, s'explique le dispositif meurtrier, il est trop tard.

La pièce oscillante de quarante-quatre virgule vingt-huit livres vient fracasser la rambarde, pulvériser les balustres et heurter de plein fouet le *capitán* Valdez à une vélocité de deux pieds à la seconde plus vite qu'estimée à cause d'un branle du galion sur les vagues. Dans un broyage de bois, de chair et d'os, le bélier comprime le corps de *don* Pánfilo contre le mur de la cabine. Les planches, par trop mangées d'humidité, éclatent en créant une ouverture qui retient l'espar. Avec des grincements sinistres de chanvre sur bois et de bois sur bois, le madrier reste encastré, formant à la masse de tissus sanguinolents qu'est devenu l'officier espagnol un tombeau singulier.

— ¡ *Por la Santa Madonna !*

L'amiral de San Miguel a failli s'asseoir de lui-même sur ma dague. Mon père, qui en a pourtant vu d'autres, écarquille des paupières rondes comme des doublons de huit, prunelles rivées sur ce qui subsiste du *capitán*. Les soldats qui approchaient reculent d'un degré sur l'escalier du château de poupe, regard fixé dans la mâture, inquiets à la pensée que de nouveaux dangers de même nature guettent encore. À l'inverse, les autres combattants sur le pont tournent les yeux vers la cabine, intrigués par le bruit provoqué par le bélier improvisé.

— Toi, le gros ! Tu entends le français ?

Mon père, toujours le premier à reprendre ses esprits, s'avance vers de San Miguel, sans même le menacer de son épée. Il sait que je le maîtrise et il l'abandonne à ma responsabilité…

Il me fait confiance !

— Yé entends, répond l'Espagnol, ses nombreux mentons vibrant. Yé souis *el almirante* Honorato Acón de…

— Alors, tu commandes aux hommes de ce navire. Ordonne-leur de se rendre.

— Y... *y* nous aurons la vie sauvée ?

— Non, mais ça évitera à mon fils de t'ouvrir les fesses par-devant jusqu'à la poitrine et je te jure, Castillan, que je mangerai ton cœur encore palpitant en blasphémant, que je traînerai ensuite ce qui reste de ton cadavre au milieu des sorciers caraïbes qui le profaneront, le priveront de terre consacrée et offriront ton âme aux démons indiens qui la tortureront dans les abîmes infernaux pendant l'éternité.

Il y a un tel feu, une telle sincérité, une telle malveillance dans les iris miellés de Mange-Cœur que le dos de De San Miguel se couvre incontinent de sueur.

— Qué... qué férez-vous dé moua si yé accepté *su proposición* ?

— Eh bien, rétorque mon père avec une moue déjà moins agressive, mais les prunelles toujours fixées sur les yeux de l'officier, tout d'abord tu auras la vie sauve, donc tu ne seras ni cannibalisé ni promis à l'enfer, puis tu nous suivras sur notre île où tu seras notre hôte. Tu remplaceras avec une plus-value les otages que nous venons de perdre.

— Je serai votre prisonnier ? Et mes hommes ?

— Il est vrai que certains pourraient servir d'esclaves, d'autres, être sacrifiés aux dieux caraïbes, mais ta valeur à toi en tant que captif mérite bien quelque marchandage. Aussi, sur la tête de mes aïeux, les tiens, je les laisserai ici, sur ton navire. De toute manière, le

241

temps qu'ils radoubent et soient en mesure de pour-suivre mon propre vaisseau, mon équipage et moi serons loin.

Devant cette perspective qui lui offre l'occasion d'être à la fois courageux et magnanime – et de sauver sa vie –, de San Miguel dit :

— Pour més hommés, alors ?

— Et pour ton âme.

L'amiral, dont la pointe de ma dague suit le moin-dre mouvement, se tourne vers le pont et, de sa meilleure voix, hurle à pleins poumons :

— ¡ *Soldados* ! ¡ *Nos rendimos* ! ¡ *Cesad los combates* !

26

Quelque part dans la mer des Caraïbes,
soirée du 11 novembre 1571

— Tu as parlé à ton père ?

Au lieu de l'asseoir à l'étrave comme elle l'avait souhaité, j'ai déposé Margarita à l'angle bâbord du gaillard de proue pour éviter qu'elle ne soit incommodée par la vue et les odeurs des hommes qui, à l'occasion, vont se soulager à la poulaine. Je dis « je », mais devrais préciser « nous », car c'est plutôt Deux-Poignards qui a pris la place de Fidel.

Deux-Poignards a non seulement le gabarit de l'emploi, il semble avoir adopté Margarita.

— Et je vais me tenir à peu de distance, fadrin, m'a-t-il affirmé un peu plus tôt, des fois qu'il y aurait des drôles qui chipoteraient sur la clémence à laquelle tu es en droit de t'attendre.

— Bouche-Trou, par exemple ?

— Bouche-Trou. Surtout avec cette prune qu'il a et dont il pourrait bien te tenir rigueur !

Et Deux-Poignards d'éclater de rire.

— Tu as parlé à ton père? répète Margarita alors que je pose sur ses épaules une veste de sergette prise dans la malle d'un officier du *Palomero*.

Dans la lumière de lune, en dépit de son chagrin – ou à cause de lui –, ses yeux rayonnent et sa peau chatoie, si bien qu'on la dirait elle-même un astre tombé sur le pont. Je m'assois sur un ramas de cordages à la frange des tissus de sa robe qui font comme une courtille moirée autour d'elle, puis je réponds :

— Pas encore, mais je suis convoqué dans sa cabine. Bec-de-Flûte viendra me quérir dès qu'il en aura reçu l'ordre, sous peu.

— Tu crois qu'il changera d'idée ?

— À ton propos ? Sois sans crainte. Une promesse de Mange-Cœur est une signature avec le sang.

— Les femmes de l'île m'accepteront, alors, réplique-t-elle non pas comme une question, mais en forme de prière.

— Pour toutes les raisons évoquées : tu n'es plus une captive, tu as choisi de revenir de ton plein gré et…

J'hésite. Tandis que je me vantais de pouvoir désormais regarder Margarita dans les yeux sans rougir, que je la tutoyais, voilà que je ne peux prononcer les mots qui me sont pourtant les plus doux.

— Et je deviendrai ton épouse, complète Margarita pour moi.

Elle ressemble à un ange quand elle sourit ainsi. C'est fou, j'ai envie de pleurer et, cependant, je suis plus heureux que je ne l'ai jamais été. Comment peut-on s'émouvoir de la sorte du simple fait que... qu'on se sente aimé par l'autre ?

Je comprends maintenant – mais je comprends *vraiment* – ce qui remue tant les marins les jours où l'*Ouragan* revient à quai.

— Je deviendrai ton épouse, répète-t-elle, si le pardon t'est accordé.

— Voilà un bien grand « si ».

Pourtant, la question qui me dévore est moins de savoir si j'obtiendrai clémence pour mes fautes que de connaître les motivations réelles de Margarita à revenir avec moi sur l'*Ouragan*. Pour être mon épouse ? Vraiment pour...

— Tu tiens vraiment à m'épouser, Margarita ?

— C'est la seule raison qui m'a poussée à retrouver ton île, Gédéon.

— Tu ne reverras jamais ton père.

— C'est à peine si je le connais, mon père ! Les semaines où il était à la maison, il m'ignorait au même titre que le chat des domestiques. Et je préférais ses efforts pour faire abstraction de ma présence à ses regards remplis de pitié, voire de dégoût, chaque fois qu'il se rappelait mon infirmité.

Je contemple la lumière de la lune qui se morcelle au sommet des vagues. Je reste un instant muet comme si tout avait été dit, mais une interrogation me consume et je cherche les mots, les mots qui me permettraient d'éclater le doute qui m'enveloppe comme la sève empoisonnée des mancenilliers.

— J'ai quand même une question, Margarita…

— Oui?

— Une question que me posera mon père et à laquelle je n'ai point de réponse.

— Je t'écoute.

Je passe une langue rapide sur mes lèvres sèches.

— Étais-tu de connivence avec Valdez? T'es-tu servie des sentiments que j'éprouve à ton égard pour fuir l'île?

— La réponse est dans ma présence ici, ce soir, Gédéon. J'y suis de mon plein gré. Quand le capitaine Mange-Cœur a jugé nulle ma faculté de pouvoir retrouver l'emplacement de l'île d'Anahiville, il m'a offert de rester avec les Espagnols sur le *Palomero*. Alors, pourquoi douterais-tu de moi?

— Mais Valdez…

— C'est ma duègne, Filomena, qui s'est jouée du *capitán*, non l'inverse. Elle a usé de son excellente édu-cation, de sa grâce et de sa coquetterie pour le charmer, le convaincre de sortir de son encroûtement, d'évacuer son défaitisme, de cesser de s'en remettre tout le temps à Dieu, pour qu'il se libère enfin de sa résignation à rester sur l'île, de sa peur d'être damné s'il venait à être mangé lors d'une cérémonie cannibale.

— Elle aura payé cher le peu d'aide qu'il vous a concédé.

— Et mon pauvre Fidel…

Un sanglot l'interrompt et on croirait qu'elle se désole plus de la perte de son serviteur que de celle de sa tutrice. Je prends ses doigts entre les miens pour les baiser quand un mouvement dans la pénombre me fait tourner la tête.

— Bec-de-Flûte.

— Gédéon, le capitaine t'attend.

Je libère les mains de Margarita et constate qu'il me faut tenir les miennes l'une contre l'autre pour en contrer le tremblement. Pendant une seconde, je m'interroge à savoir si c'est à cause de mon émoi pour elle, mais il me faut admettre que c'est plutôt dû à la rencontre avec mon père.

Je me lève en gonflant mes poumons. Par Mápoya! Je ne me sentais pas si nerveux face à l'escopette de De Narvaez.

La cabine, éclairée par un seul candélabre à trois branches posé sur le bureau, est noyée de nombreuses zones d'ombres, notamment derrière le baldaquin du lit et dans l'angle donnant sur la bouteille bâbord. La lanterne à huile du plafond se balance sur son esse tel l'œil éteint d'un cyclope endormi.

Penché sur la commode qui meuble l'encoignure de tribord, le Jésuite referme un tiroir. Je le reconnais pour celui dans lequel on range les portulans et certains instruments de navigation, là où j'ai dérobé ce qui nous était nécessaire dans la patache. Je suppose que Nez-en-Moins, qui sortait au moment où je suis entré, vient de discuter de la route suivie par l'*Ouragan*.

— Jésuite, s'il te plaît.

La voix de mon père, pourtant d'une douceur profonde, me fait sursauter. Il se tient immobile, debout près de son fauteuil, un poing sur le coin du bureau, le nez penché sur deux ou trois parchemins qu'il fixe d'un air absent.

— J'y vais, capitaine, réplique l'homme à la bure. Bonne nuit, capitaine. Bonne nuit, Gédéon.

— Bonne nuit, Jésuite.

En me contournant pour atteindre la porte, il me donne une tape sur l'épaule. Je garde le visage à demi tourné vers lui tandis qu'il franchit le seuil, mais, discrètement, mon attention est pour Mange-Cœur. Une fois que nous sommes seuls, celui-ci me désigne du menton les deux chaises qu'occupaient sans doute ses visiteurs précédents.

— Tu veux t'asseoir ? demande-t-il.

— Non, je… Merci.

— Eh bien, moi, je m'assois, réplique-t-il en se laissant tomber sur son fauteuil, le même siège ayant accueilli les postérieurs de tant de capitaines avant lui, dont le minable Doublon d'Or.

— Tu as soif ? Il y a du cidre. Venu des cales du *Palomero*.

Avec ce qui chez lui peut tenir lieu d'un sourire espiègle, il prend une carafe sur le coin du bureau et verse un liquide topaze clair dans deux coupes en étain.

Quand il me tend l'une d'elles, une mèche de cheveux détachée du ruban sur sa nuque tombe devant ses yeux. Il la repousse d'un mouvement vif de la tête. Mange-Cœur préfère les coiffes à l'amériquaine aux chevelures courtes des Européens.

Avant de boire une première gorgée, j'attends qu'il ait pris sa propre coupe.

— J'ai eu, à ton propos, une longue, une très longue conversation avec le Jésuite, commence-t-il.

— Fort… bien.

Ma glotte est si sèche que j'ai failli ne pas pouvoir prononcer plus d'un mot. Aussi, je me réjouis que mon père porte enfin le cidre à ses lèvres afin que je puisse me désaltérer à mon tour. Derrière le pied de son verre, je ne distingue que ses yeux réverbérant la lueur des chandelles avec un éclat de vieil or. Combien de femmes séduirait-il s'il donnait à son cœur le loisir de ranger le passé ?

Il boit lentement. Si lentement d'ailleurs que je me demande s'il n'attend pas que ce soit moi qui poursuive la conversation.

Finalement, c'est lui qui reprend :

— Nous en sommes venus à la conclusion que, grâce à ton initiative, nous avons perdu un otage de la valeur du *capitán* Valdez pour un amiral de la qualité de De San Miguel. Voilà ce qu'on peut qualifier de revenant-bon. Un grand bénéfice. De plus, nous pensons qu'Anahiville souffrirait plus de ton absence que de ta participation à sa vie collective. Nous consentons à ton retour parmi nous.

— Bien.

— Tu ne t'en réjouis pas plus ?

— Je m'en réjouirai si vous m'annoncez que ni Margarita ni moi ne subirons quelques représailles ou ressentiments que ce soit à la suite de notre… fugue.

— Pour ta… fiancée, ma parole est déjà donnée. Elle est membre à part entière de la communauté et, puisqu'elle a choisi de son plein gré d'y appartenir, nul ne saura lui tenir rigueur de son premier mouvement qui a été de s'échapper d'une prison où l'attendait la potence. Le Regroupement des épouses de l'île ne trouvera rien à redire non plus du fait qu'elle deviendra ta femme légitime. De toute façon, si nécessaire, je m'opposerai fermement. Nul n'osera prendre le risque de me mécontenter ; j'ai le pouvoir de limoger et de nommer qui je veux à tous les postes de prestige ou de responsabilité. Pour une fois – et si nécessaire, je le répète –, je suis disposé à user de menaces pour être satisfait.

— Va pour Margarita. Et pour moi ?

Il fait un chuintement avec les lèvres en aspirant brusquement.

— Il est inévitable que le sujet de ta défection soit débattu au prochain conseil. L'existence même d'Anahiville a été mise en péril par ta faute et une action de cette sorte, dans un royaume tel que la France ou l'Espagne, par exemple, équivaut à un crime de lèse-majesté. Il y aura sans nul doute des blâmes émis, voire des requêtes de sanctions.

— Vous y opposerez-vous avec autant de fermeté que pour Margarita ? Userez-vous aussi pour moi de menaces voilées auprès de ceux qui votent aux réunions ?

— Nous verrons.

— Non, père, j'exige une réponse dès à présent.

La coupe qu'il s'apprêtait à porter à ses lèvres s'immobilise à hauteur de poitrine. Je reprends :

— Vous avez discuté de moi avec le Jésuite, donc votre décision est prise. Alors, ce soir, je veux savoir si vous êtes digne de tout l'amour, de toute l'admiration que j'éprouve à votre égard. Je veux savoir si mon cœur a raison de rejeter depuis toujours, et à votre crédit, l'affection que j'aurais dû plutôt cultiver pour mon vrai père, votre ennemi. Je veux savoir si je vous aime inutilement d'un amour non réciproque ou si vous ressentez pour moi l'estime que je conçois vis-à-vis de vous. Est-ce que je compte à vos yeux ? Ne serait-ce qu'à cause de cette passion que vous continuez d'entretenir pour Anahi, cette mère que je n'ai pas connue ?

Le vieil or se catit d'une lueur singulière, ce lustre curieux qu'on lui découvre les matins mélancoliques ensuivant les nuits peuplées de rêves d'Anahi.

La paupière droite de Mange-Cœur, avec une particularité que, cette fois, on ne lui connaît point, se gonfle d'une gouttelette tremblotante. De l'index, il la chasse avant de désigner sa rapière dans le fourreau accroché au mur. Il répond :

— Non seulement je voterai pour ta grâce, Gédéon ; non seulement je soutiendrai ta cause, mais j'irai jusqu'à me dresser avec mon épée contre quiconque refusera le pardon. Je tuerai, Gédéon, entends-tu ? Je tuerai quiconque, du premier conseiller au dernier habitant d'Anahiville, aura ambition de faire obstacle à ta présence au milieu de nous.

— En dépit de ma trahison, père ? En dépit du risque qui fut mien et qui aurait pu mener à la destruction d'Anahiville, votre rêve ? Vous me défendriez à ce point malgré tout ce que j'ai accompli dans le simple dessein de rester auprès de celle que j'aime ?

— Tu n'as rien fait que je n'aie fait aussi.

Épilogue

Quelque part en Bretagne,
nuit du 25 au 26 avril 1603

— Et sur cette île, monsieur Sanbourg, une fois marié à ma cousine, vous y avez longtemps vécu ?

— Jusqu'à la troisième fausse couche de mon épouse, monsieur le marquis. Margarita a lors exprimé les premiers doutes à propos du sacrilège possible de vivre au milieu de païens et de cannibales. Elle a souhaité non pas quitter l'île de manière définitive, mais entreprendre un pèlerinage dans son Béarn natal, puis visiter plusieurs lieux saints d'Europe. Nous ne devions être absents que quelques mois, un an, peut-être.

— Et vous n'êtes jamais revenus à Anahiville.

— Les événements se sont précipités pendant cette période où Margarita et moi troquions une cathédrale pour une basilique, une neuvaine pour un carême. Quand les Espagnols, lassés des rapines des pirates de tout acabit – anglais, surtout, après le sac des côtes du Darien par Francis Drake –, ont décidé de nettoyer les Antilles, de grands moyens ont été mis en œuvre pour attaquer la communauté d'Anahiville.

— Dont une alliance provisoire avec la marine royale de France.

— Notre roi Henri, pour faire oublier un moment son passé huguenot, a vu dans une alliance provisoire avec Philippe II un prétexte pour flatter les catholiques de son royaume et les bigots de Madrid. Il ne risquait guère sur le plan politique en s'attaquant à une communauté sacrilège ne répondant à aucun drapeau, si ce n'est au pavillon rouge à tête de mort.

— Les combats ont été farouches, paraît-il. L'île rasée.

— Paraît-il. Je n'y étais point, mais on m'a conté que…

Trois coups discrets sont frappés à la porte et interrompent mon évocation des événements.

— Qui donc, à cette heure-ci… ? entame le marquis.

Passionné par mon récit, le noble parent de Margarita a oublié que nous sommes dans l'attente du verdict concernant le procès de Mange-Cœur.

— Excusez-moi, monsieur le marquis, que je réplique simplement en passant devant lui pour faire les trois pas me séparant de la porte. Je crois que voilà la visite que nous espérions.

Mon empressement frôle l'impolitesse, mais l'impatience que je canalisais grâce à ma narration se débonde maintenant sans que je la puisse retenir. Mes mains tremblent tandis que je tire le verrou.

J'escompte trouver un page au service de l'un des témoins à décharge qui, rétribué par mes soins, fait antichambre près de la salle où délibèrent les magistrats. Je suis surpris de reconnaître plutôt la livrée de deux sergents en armes.

— Monsieur Gédéon Sanbourg ?

— Lui-même.

— Veuillez nous accompagner, monsieur.

— En quel honneur, sergent ?

— Suivez-nous, monsieur, s'il vous plaît.

La mine sérieuse des gradés ne m'inspire guère confiance et j'hésite à obtempérer. Je jette un œil vers le marquis. Cependant, afin de n'être pas identifié, le noble s'est fondu dans l'obscurité de mon appartement.

Inutile d'espérer davantage de secours de sa part, il s'est déjà amplement compromis.

Retenant une profonde respiration, je me faufile entre les deux sergents qui m'entraînent le long du couloir. Pendant un moment, nous empruntons la direction menant à la salle où s'est tenu le procès, puis nous bifurquons vers l'aile des magistrats. Soudain, le sergent qui me précède s'engage dans un passage que je ne connais pas. Il se saisit d'une torche sur un mur de pierre, ce qui me permet de distinguer un escalier.

— Où m'emmenez-vous ?

Le gradé devant continue d'avancer en silence. Je m'arrête et le sergent derrière moi pose une main sur mon épaule. Il dit :

— Nous ignorons de quoi il retourne, monsieur. Nous avons ordre de vous conduire, c'est tout.

Je reprends la marche sous l'invitation de la paume impérieuse toujours sur ma clavicule. Rapidement, nous atteignons un soubassement humide où des rats longent les angles que découpe la lumière du flambeau. Nous croisons deux ou trois soldats à la mine sévère qui nous livrent passage. Des geignements se font entendre derrière des lourdes percées de vasistas composés de barreaux d'acier.

— C'est… la prison… Pourquoi m'amenez-vous… ?

— Monsieur Sanbourg !

La voix qui m'interpelle m'apparaît plus soulagée que menaçante. Je mets un moment avant de reconnaître le page que j'ai rémunéré. Près de lui se trouve l'un des huissiers de la cour. Le sergent s'écarte et je rejoins les deux hommes au voisinage d'une porte entrebâillée.

— Que se passe-t-il, messieurs ? que je demande. Pourquoi m'oblige-t-on à venir ici ? Les juges ont-ils terminé leurs délibérations ?

— Point encore, monsieur, répond le page, point encore.

— Eh bien, alors ?

— Nous avons pensé, monsieur, entame l'huissier d'une voix grave, que vous seriez aise d'être avisé avant que nous répandions la nouvelle.

— Quelle nouvelle ?

L'huissier ouvre entièrement la porte et le page m'invite à entrer.

— Je suis désolé, monsieur.

Je pénètre dans la cellule où une chandelle de mauvais suif, posée sur un tabouret dans un coin, diffuse une lumière grasse. Une odeur de moisissure mêlée de vieille sueur, d'urine et d'excréments me saute au nez. Les murs sont bas. Moi qui ne suis pourtant pas grand, d'instinct, je rentre la tête dans les épaules. Au fond, accroché aux anneaux des fers des prisonniers, pend un hamac. La distance étant trop courte entre les deux extrémités, il ploie fortement au centre, là où gît le corps d'un homme.

Je me saisis de la chandelle et m'approche en tremblant. Je l'ai reconnu bien avant de le voir.

Mon père semble dormir paisiblement.

Ses longs cheveux blancs sont noués avec un ruban de soie dont les bouts reposent sur son épaule. Yeux fermés, ses traits expriment une sérénité que même la lumière d'une mauvaise bougie ne parvient pas à gâter. Ses moustaches, peignées et retroussées de manière impeccable, suivent le dessin de ses lèvres.

Il sourit! Ce diable d'homme sourit!

— Quand est-ce arrivé? demandé-je.

— Il y a dix minutes à peine, monsieur, estime le page. L'huissier que voilà, dont je réponds de l'amitié, sachant que j'étais de vos sympathisants, a cru pertinent de vous aviser avant que nous diffusions la nouvelle aux juges.

Je pousse un soupir en tâtant, spontanément, la bourse à ma ceinture. Les coquins, tant ces deux drôles que les sergents, espèrent un pourboire à la hauteur de la faveur qu'ils m'octroient. Je réplique, sans quitter mon père des yeux :

— Vous avez bien fait. Laissez-moi un instant.

J'attends que le grincement de la porte se taise derrière moi.

Une fois seul, j'avance la main et, du bout des doigts, caresse la peau encore tiède du visage de Lionel Sanbourg, dit Mange-Cœur.

— Tu les as bien eus, soufflé-je, d'un ton bas et sans expression, tous ces beaux juges, ces magistrats, ces représentants du roi, tous ces bien-nés qui, pour préserver les relations avec l'Espagne et son Inquisition, étaient disposés à te condamner et à te brûler vif. Ta vieillesse leur a dérobé le plaisir de disposer de ta personne.

J'éponge une larme avec le bouffant du tissu au poignet de ma chemise. Cependant, je ressens moins de chagrin que de soulagement, moins de consternation que d'amusement.

— Tu les as bien eus, que je répète. Que t'importe maintenant la fin d'Anahiville, ton retour en France, ton arrestation injuste, toi qui n'as jamais porté atteinte aux possessions françaises, ni navire, ni port, ni colonie, ni rien ! Ton idéal, finalement, au même titre que celui de ton parangon Cape-Rouge, aura été victime de la politique plus que de l'incompétence.

— Monsieur ?

Je me tourne à demi vers le page qui a passé la moitié du corps par la porte entrouverte.

— Il faudrait y aller, monsieur. Il y a du mouvement, là-haut. Nous pensons que les juges en sont venus à un verdict.

Je hausse les épaules et reviens poser les yeux sur Mange-Cœur.

— Que nous importe le verdict, père ? Tu as gagné. Va maintenant. Où que tu sois, en enfer comme au paradis, va. Je sais que tu es en paix.

Son sourire le prouve.

Au moment de franchir le seuil, au moment de quitter cette vie pour l'autre, le capitaine Mange-Cœur aura été accueilli ainsi qu'il l'espérait. Par celle qu'il n'a jamais cessé d'aimer. Par celle à qui il a été fidèle pendant près de cinquante ans et avec qui, désormais, il parcourra l'éternité.

Ma mère.

Anahi.

Notes aux lecteurs

Dans la littérature des chroniqueurs des siècles passés, le terme « Nègre » n'a pas la connotation péjorative qu'on lui connaît aujourd'hui. Le mot est à considérer selon son étymologie : du latin *niger* et de l'espagnol *negro*, qui signifient simplement « noir ». Par extension, « personne de race noire ».

C'est donc dans cet esprit que nous avons délibérément choisi d'utiliser à l'occasion le vocable « Nègre » pour désigner les Africains à la peau noire, tant les esclaves que les pirates.

À l'inverse, le terme « Indien » nous apparaît trop lié à une erreur historique des premiers colonisateurs européens pour que nous l'utilisions ailleurs que dans les dialogues. Ainsi, les personnages associés aux nations autochtones d'Amérique sont appelés « Amériquains », selon la graphie employée à l'époque, pour faire la distinction avec l'orthographe « Américain », plus moderne, qui ne désigne pas les mêmes communautés.

Il est aussi à noter que les termes « Caraïbe » et « Cannibale » dérivent du nom « Kalinago », l'appellation d'une nation autochtone des Antilles.

C. B.

Du même auteur

Série À bord de l'*Ouragan*
Tome 1, *Le trésor perdu*, Montréal, Hurtubise, 2011
Tome 2, *La religion des autres*, Montréal, Hurtubise, 2012

Série Pirates
Tome 1, *L'île de la licorne*, Montréal, Hurtubise, 2008
Tome 2, *La fureur de Juracán*, Montréal, Hurtubise, 2008
Tome 3, *L'emprise des cannibales*, Montréal, Hurtubise, 2009
Tome 4, *Les armes du vice-roi*, Montréal, Hurtubise, 2009
Tome 5, *Trésor noir*, Montréal, Hurtubise, 2010
Coffret *Pirates,* Montréal, Hurtubise, 2010

Autres titres chez Hurtubise
Les Crocodiles de Bangkok, Montréal, Hurtubise, 2006
L'Intouchable aux yeux verts, Montréal, Hurtubise, 2006
Un massacre magnifique, Montréal, Hurtubise, 2010
La Dame de Panama, Montréal, Hurtubise, 2012

Chez d'autres éditeurs
Les Griffes de l'empire, Montréal, Pierre Tisseyre, 1986
L'Empire chagrin, Saint-Lambert, Héritage, 1991
Les Lucioles, peut-être, Saint-Lambert, Héritage, 1994
Absence, Saint-Lambert, Héritage, 1996
Les Démons de Babylone, Saint-Lambert, Héritage, 1996
La Marque des lions, Montréal, Boréal, 2002
La Caravane des 102 lunes, Montréal, Boréal, 2003
Des étoiles sur notre maison, Saint-Lambert, Dominique et compagnie, 2003
La Déesse noire, Montréal, Boréal, 2004
Derrière le mur, Saint-Lambert, Dominique et compagnie, 2004
Lune de miel, Saint-Lambert, Dominique et compagnie, 2004

Le Ricanement des hyènes, Montréal, La Courte Échelle, 2004

La Mèche blanche, Saint-Lambert, Soulières éditeur, 2005

Les Magiciens de l'arc-en-ciel, Saint-Lambert, Dominique et compagnie, 2005

Les Tueurs de la Déesse noire, Montréal, Boréal, 2005

Le Monstre de la Côte-Nord, Saint-Lambert, Soulières éditeur, 2006

Le Sentier des sacrifices, Montréal, La Courte Échelle, 2006

L'Étrange monsieur Singh, Saint-Lambert, Soulières éditeur, 2006

Le Parfum des filles, Saint-Lambert, Dominique et compagnie, 2006

Les Vampires des montagnes, Saint-Lambert, Soulières éditeur, 2007

Pacte de vengeance, Saint-Lambert, Soulières éditeur, 2007

Danger en Thaïlande, Saint-Lambert, Dominique et compagnie, 2007

Flocons d'étoiles, Saint-Lambert, Dominique et compagnie, 2007

Horreur en Égypte, Saint-Lambert, Dominique et compagnie, 2007

Trente-Neuf, Montréal, Boréal, 2008

Complot en Espagne, Saint-Lambert, Dominique et compagnie, 2008

Le Soleil frileux, Saint-Lambert, Dominique et compagnie, 2008

Au temps des démons, Montréal, Éditions de l'Isatis, 2008

Pirates en Somalie, Saint-Lambert, Dominique et compagnie, 2009

Trafic au Burkina Faso, Saint-Lambert, Dominique et compagnie, 2009

Le Rôdeur du lac, Saint-Lambert, Dominique et compagnie, 2010

Catastrophe en Guadeloupe, Saint-Lambert, Dominique et compagnie, 2010

Terreur en Bolivie, Saint-Lambert, Dominique et compagnie, 2010

L'Après-Monde, Montréal, Bayard Jeunesse, 2011

Le Trésor de l'esclave, Saint-Lambert, Dominique et compagnie, 2011

Cauchemar en Éthiopie, Saint-Lambert, Dominique et compagnie, 2011

Sacrilège en Inde, Saint-Lambert, Dominique et compagnie, 2011

Le coup de la girafe, Saint-Lambert, Soulières éditeur, 2012

www.camillebouchard.com
camillebouchard2000@yahoo.ca

Suivez-nous

GARANT DES FORÊTS
INTACTES

Achevé d'imprimer en mars 2012
sur les presses de Marquis imprimeur
à Montmagny, Québec